北京古籍叢書

[清] 周家楣 [清] 繆荃孫 編纂

左笑鴻 點校

光緒順天府志

第十五册

圖書在版編目（CIP）數據

光緒順天府志．第十五册 /（清）周家楣，（清）繆荃孫編纂；左笑鴻點校．— 北京：北京出版社，2018.2

（北京古籍叢書）

ISBN 978-7-200-13610-4

Ⅰ．①光… Ⅱ．①周… ②繆… ③左… Ⅲ．①北京—地方志—清代 Ⅳ．①K291

中國版本圖書館 CIP 數據核字（2017）第 282308 號

項目策劃：安　東　　項目統籌：許　可
責任編輯：喬天一　許　可　　責任印製：宋　超
裝幀設計：郭　宇

北京古籍叢書

光緒順天府志

第十五册

[清]周家楣　[清]繆荃孫　編纂

左笑鴻　點校

出　版　北京出版集團公司
　　　　北京出版社
地　址　北京北三環中路六號
郵　編　一〇〇一二〇
網　址　www.bph.com.cn
總發行　北京出版集團公司
經　銷　新華書店
印　刷　北京京華虎彩印刷公司
開　本　八八〇毫米×一二三〇毫米　三十二
印　張　十七
字　數　三〇七千字
版　次　二〇一八年二月第一版
印　次　二〇一八年二月第一次印刷

書號　ISBN 978-7-200-13610-4
定價　128.00 圓

人物志二十八

選舉四

德清傅雲龍纂　江陰繆荃孫覆輯

舉人表 副榜坿。按：國朝舉人，乾隆以前，據畿輔唐志，道光以後，有題名録可徵，中闕幾及百年，搜訪奇零，甚屬不易。挂一漏萬，閱者諒之。

國朝

	大興	宛平	良鄉	固安	永清	東安	香河	通 漷
順治 二年乙酉	林起龍 丙戌進士。 劉玉鑽 丁亥進士。 方于光	劉澤芳 字德馨，丙戌進士。按：畿輔唐志云大興人，今據題名碑。	楊三知 字筠伯，丙戌進士。	田貢 副。湖廣祁陽知縣。	劉澍 丙戌進士。	福澤	袁懋功 字九敘，丙戌進士。 王體晉 字錫田，丙戌進	鍾聲之 甲辰進士。 王公擢 坿先賢蔡兆樞傳。

己丑進士。

胡兆龍 字宛委，丙戌進士。按：畿輔唐志云宛平人，今據題名碑入大興。

李若琛 字公遠，丙戌進士。

宋杞 字若木，丙戌進士。

士。

葉獻章

朱之弼　丙戌進士。

耿于垣　丙戌進士。

張炯

施民瞻

王士驥　字千里，丙戌進士。

顏永錫　丙戌進士。

宋翔　字子飛，

丙戌進士。

莊正中 丁亥進士。

莫爾漼

張文明 字深發，丙戌進士。

樓晟 丙戌進士。

靳龍光 丁亥進士。

孫灝 己丑進士。

科分未詳

孔衍越

常自牧　丙戌進士。

楊璜　丙戌進士。

張國憲　丙戌進士。

李鯨　丙戌進士。

孔傳孟　丙戌進士。

陸嵩　字中山，

	三年丙戌
	孫聖麟　湯允立　胡惟德丁亥進士。張能鱗字西山，丁亥進士。王　深　徐兆舉丁亥進
丙戌進士。鄧林瞿丙戌進士。	祁復業　金　鋐字治公，壬辰進士。章雲鷺字紫義，丁亥進士。李昌垣丁亥進士。王　熙
	張　璟字光重，官至御史。張之登副。字自庵。
	劉宗韓字重顯，乙未進士。
	鞏維城乙未進士。
	雷　湛乙未進士。王　法山東泰安學正。張士甄己丑進士。

士。
韓有倬 乙丑進士。
胡昇猷 丁亥進士。
紀咸亨
王名世
羅森 丁亥進士。
洪範
茹鄂侯
梁以桂 己丑進士。
于廷奏

丁亥進士。
李大發
王辛 己丑進士。
方希賢 壬辰進士。
謝泰 己丑進士。
蘇霖 丁亥進士。

蕭世賁
己丑進士。

杜樸

于之挺
己丑進士。

徐翀
己丑進士。

張廷瓚

張弘俊
字識之，丁亥進士。

王德明

科分未詳	五年戊子
	張永祺 原籍江南宜興，字爾程，壬辰進士。 李長胤 己丑進士。 温良璞 徐增美 己丑進士。 陳卣 宗彝 己丑進
王之鼎 丁亥進士。	王仲 張舜舉 己丑進士。 顏敦 己丑進士。 劉芳躅 原籍易州，字增美，乙未進士。 吴道煌 己丑進士。
張元樞 丁亥進士。	
	劉源澄 壬辰進士。 張六經 楊恭餘 按：畿輔唐志無，今據固安陳志。 張應茹 副。陝西綏德衛經歷。
	邵駿發
	魏繼樗 坿先賢蔡兆極傳。 雷一龍 己丑進士。 侯于廷 己丑進士。

士。
袁汴
秦性恒
張繼鑣
蔣如瑤
己丑進士。
俞彝
朱志遠
徐兆慶
王毓恂
己丑進士。
阮標
王朝彥
徐兆極
王三接

張完臣
乙未進士。
龔瑛
甯坊
沈慧俠
余司仁

李燿
王琦
吴煒
黄鼎鉉
黄中璜
沈肇基
李暲
王世約
周禮
蔣士衡
趙裔昌
葉樹德
字太立，己丑進士。
李光璽
蔡兆極

	八年辛卯
詳先賢傳。	朱湝 乙未進士。 張龍如 周憲文 甲辰進士。 徐愈 沈舉 朱之佐 己亥進士。 阮如蘭 胡懋謙 馮三台
	陳必成 乙未進士。 雷經 楊起鵬 陸鳴時 唐頎 魏朝瑛 張弘儼 字容侯。
	沈子龍 鳳岐曾孫。 趙子秀 字景六。 張應科 字顯之，己亥進士。 呂鳴燕 字顯池，江南合肥知縣。
	王印元 陝西蒲城知縣。 杜繼召 戊戌進士。 楊士烒 壬辰進士。 胡公著 陝西鄜州知州。 邵汝懋

蘇宣化字亮公，己亥進士。
王心
張勸
杜士晉
胡公著
朱之翼
徐逸
王道隆
陳可畏壬辰進士。
張爾奎辛丑進士。

是科郭藩鎮解元，未詳何州縣。（據畿輔唐志）

科分未詳	十一年甲午
譚弘憲 壬辰進士。	史起賢 李元發 周世澤 辛丑進士。 趙吉徵 字君孚，湖北應山知縣。 趙明徵 詳先賢傳。 朱以忠
	田種玉 解元，乙未進士。 蔣姬蔭 諸用章 孫仍 陳國士 胡兆麟 馬猶龍
	劉萬策 字君一，□□知縣。
	柴應宸
	陳樫芳 字中赤，萬全左衛教授。
	丁林聲 康莊 陳敬 字爾恂，戊戌進士。 李含春 戊戌進士。 喬木 奉天府教授。 王永福

	科分未詳	十四年丁酉
錢國壽 沈堃 陳之蘊己亥進士。 錢升乙未進士。	甯先璽乙未進士。 張偉乙未進士。	萬嵩解元，庚戌進士。
		殷觀光字巡與，戊戌進
		苑育蕃 張元榜
		劉基孟字叔諸。
		賈爆辛丑進士。
副。		楊正中戊戌進士。

李易國
牛日旼
米漢雯 辛丑進士。
尤子麟 丁未進士。
沈崇甯 戊戌進士。
李嘉猷 丙辰進士。
范固 甲辰進士。
蘇嵋

士。
胡兆鳳
朱世熙 字克咸，辛丑進士。
姚祖頊 戊戌進士。
郭士乾

李涵
劉漢裔 浙江江山縣知縣。
王建中
張鴻猷 字匡鼎，辛丑進士。

辛丑進士。

邵宗周　甲辰進士。

蔣弘道　字扶之，己亥進士。

陳宏　辛丑進士。

吴琪　乙丑進士。

景貞運

科分未詳	王昺 己亥進士。							
十七年庚子	李時謙 辛丑進士。 張敦生 胡懋宣 丁未進士。 孫祚昌 庚戌進士。	錢裕國 張舉 張國寯		劉瞸 源澄子，字復旦。				楊士炌 解元，庚戌進士。
康熙二年癸卯	張友黃 陳光祖 劉賓延 于際治	吴澗 任鼎成		宋國鑑 字九如。	海嵋		程思恭 字藎直，晉州學正。	陳震元 劉培 廣東臨高知縣，祀

	五年丙午
張世綬 趙邃 秦敬傳 甲辰進士。 王梅 甲辰進士。	李開泰 解元，字子如。（據鶴徵録） 馮載 何楷 張烈 庚戌進士。
	朱壽 姚詢 陸嶠 紀五典 劉彦 丙辰進士。
鄉賢。	

	科分未詳	八年己酉
柴應速 朱敦厚 丁未進士。 王俶 馮給京		祖文謨 字顯之，庚戌進士。 高聯 字愷陽，丙辰進
	何天寵 字昭侯，丁未進士。	張增 張鵬翼 蕭名輔
		辛樂舜 庚戌進士。 李橒 己未進士。
		陳情
		王暐 楊舟 直隸趙州學正。

士。

余應霖　癸丑進士。

王訪伊

鮑鼎銓

陳標新

李録予　原籍山西介休，字山公，庚戌進士。

顧汧　原籍江南長洲，字伊在，癸丑進士。

田成玉

	十一年壬子
字荆巖，癸丑進士。	邵光裕 馬一驄 陳溥 羅珩 方峨 字嵋雪，江西新建知縣。 李尚隆 癸丑進士。 陸循 黄軒 字犀馭，
	鄭養民 徐晉 戊辰進士。 錢者模 龔爾美 高裔 丙辰進士。 張榮祖 字山容，癸丑進士。
	楊學嗣 字二甫，知縣。
	卜景超 兆麟子，己未進士。
	李沛春 原籍盧龍。 李滋春 廣西興業知縣。 張士均

	科分未詳	十四年乙卯
壬戌進士。 田肇埏 丙辰進士。	葛鳴鶡 癸丑進士。	車鼎元 張友閔 于馮宰 張天覺 邵宏魁 改名璸，字柯亭，山東昌邑知縣。 丁一新
		汪養純 庚辰進士。 趙東旭 胡忠正 丙辰進士。
		王簡之 戊辰進士。 王升德

科分未詳	劉嗣吉丙辰進士。							
十六年丁巳	陶熙 沈龍驤	張弘俶辛未進士。 尚琰 顧用霖 徐經遠壬戌進士。 張登第（三人據宛平王志）						
十七年戊午	范琦 張升孫 高壽名			卜峻超景超弟，字仲升，壬戌進士。				王鼎臣 張光鑾 吳邦翰

	二十年辛酉
乙丑進士。王如曾 壬戌進士。孟賡澍 吴琪 張翥 乙丑進士。	袁橋 壬戌進士。
	雷有乾 江景瑞
滄州學正。張光鏊 副。	温爲 辛未進士。張光鑰 江西甯都知縣。鑰一作綸。顧培元

	二十三年 甲子
	應校發 邵觀 辛未進士。 薄有德 字聿修，癸未進士。 趙如升 周道新 字郁叔，甲戌進士。 沈湣思 楊堂
	汪敷敏
	李超 字迴凡。
浙江山陰知縣。	姬肇燕 副。

二十六年丁卯

鄭廷俊

張庚昶

張庚耀 丁丑進士。

于甲培

曹紹徽

方辰 原籍江南武進，字共極，庚辰進士。

蕭名俊 丁丑進士。

吳文炎 字譽章，丁丑進

趙東暄 己丑進士。

曹　江 字岷源。

祖　舜 字堯傳，饒陽縣教諭。

李士瑜 庚辰進士。

張光鏞 大理寺評事。

	二十九年庚午	二十二年癸酉
士。 連斐	龔銘 黃叔琳辛未進士。 王民新 王從諫辛未進士。 宋德盛 吳文炯 錢友龍	李仙湄解元。 王源
	韓宗綱辛未進士。 方從義	楊枝遠 胡忠本癸未進士。

	三十五年 丙子
龔鐸 字于路，甲戌進士。 趙美玉 杜維翰 吳翰翀	王曰嘉 汪倬 汪鴻璵 邵之玟 徐纘功 楊國維 高輝 張振嗣 庚辰進士。
	丁珍
	袁運昌 字子六。 蕭凝基 字聚五。
	韓瑛 庚辰進士。

	三十八年己卯
沈祝 盧軒 張登傑 庚辰進士。 蔣璣 邵琮	徐用錫 王命銓 金元寬 庚辰進士。 陳遵謙 蔣仁錫 己丑進士。 陶彝
	王景曾 字岵瞻，庚辰進士。 王朝柱 王介祐 王昌
	曹淮 字徐六，御試一等三名。
	張衍泗
	李果實 己丑進士。
	陰儼 己丑進士。
	王兆鳳 解元，丙戌進士。 賀秉源

庚辰進士。
胡文燦
己丑進士。
吴文煊
丙戌進士。
徐肇鑑
黄叔璥
叔琳弟，己丑進士。
徐流謙
字仲益，癸巳進士。
劉王新
唐執玉

	四十一年 壬午
原籍江南武進，字益功，癸未進士。 陳彙蘇 田易 丙戌進士。 王前	李堂 解元，字仲升，癸未進士。 穆元肇 趙予信 丙戌進士。 沈裕
	顏光暉 戊戌進士。 王嘉猷 復姓蔣，癸未進士。 劉璲 秦澤遠
	辛惟一 字守之，知縣。
	韓黃 癸未進士。

	四十四年乙酉
戴允恭戊戌進士。 甄之璜壬辰進士。 黃叔琬叔琳弟，己丑進士。 孫文煜 高文奎山西趙城知縣。	張敦睦 陳　瑢 張　鈺
	黃叔琪叔琳弟。 李玘尊己丑進
	辛克一字復萬，癸卯進士。
	楊　正己丑進士。 李　洵

	四十七年戊子
田貞寀 應綜文 己丑進士。 單國寶 伍勳	邵錦江 己丑進士。 何國宗 壬辰進士。 秦宗淑 癸巳進士。 張奎光 己丑進
士。 劉興聘	高澤 庚戌進士。 李濱 祁錦 鄭羽逵 己丑進士。
	傅應龍 字起潛，中書。
大名訓導。	朱綸 解元，己丑進士。

	五十年辛卯
士。 朱齊名 徐俊民 趙繼鼎 馮祖思 邵之旭　己丑進士。 姜育麟 薄　海　字圖南，壬辰進士。	舒大成　字子展，壬辰進士。 鈕國亮
	查爲仁　解元。坿先賢查日乾傳。 米　懷
	張四維　山東武城知縣。 李　适
	程可式　字松邨，河南河內知縣。
	錢　澍 耿世儁

祝臨
楊尚璘
于本宏 癸巳進士。
邵泰 字峙東，辛丑進士。
杜維澄
黃虞俊
陸述宣 乙未進士。
王師曾
姚述虞

王克宏 字能四，辛丑進士。
謝麒
于振翀 字扶青，蔚州學正。
褚泰

五十二年 癸巳恩科
李麟源　毛濟川　錢宏孝　方宏度 癸巳進士。　陳謨　孟泰巖　蘇本潔　王貽荃 癸巳進士。　吳士進 戊戌進士。　馮淇　何國棟　丁銓
顏紹怡　張才曜
楊之嵩 字子復。
解典
陳洪範　楊廷鑾

	科分未詳	五十三年甲午
黃叔瑄 邵錦書	王玉璿癸巳進士。	龔聲振 徐覺民 呂延泰 單應麟 耿國祚 邵臨 邵錦堂 邵錦濤癸卯進士。 陳篤祐
		陸文煥解元。 王克承 何天澤 李竑儒 胡忠匡 馮祖寬
		陳璠
		曹運字有誤。
		朱元仲山西知縣。 胡廷瑾

	五十六年丁酉
張眉壽 陶起潛 蔣宗涑 林世泰 任光祉 程鵬 胡鈞	陳德麟 應綺文 沈震世 張錡 許紹熙 吳鑑 邵之楷 胡永貞 王鼐
	鄭大德辛丑進士。 胡書源 于銘 米士銘復姓劉。詳先賢傳。 張淏
	李文
	姬媛 陳誠癸卯進士。 楊體馨副。 耿震光副。

	五十九年庚子
癸卯進士。王者英 楊以甯 黄訥	范卜年辛丑進士。張有觀 于振翀 王兆符源子，辛丑進士。沈廷珍 邵大生癸卯進士。
任懿 藍畹 陳焕	王璲 胡松 殷廷瓚 金世越丁巳進士。金啟文 鍾畹丁未進士。劉維新
	王培元

	科分未詳	雍正元年癸卯恩科
劉國裕 鄔璠 葉新 魏文 癸丑進士。 龔道揆 唐孝本 楊青 袁光煒		李芳華 癸丑進士。 張繼昌
辛丑進士。 王瑄 徐伉		茹林 癸卯進士。 許福宗
	馬咸厚 癸卯進士。	曹洵
		石瑞麟 王之正

黄元鐸字振路，癸卯進士。 沈梁癸卯進士。 周然癸丑進士。 沈青崖 阮懋業 張掞 張登倬 于暲癸丑進士。 邢士偉	
袁儒宗庚戌進士。 劉庶 王念曾	

	陳祖堃 邵錦潮 趙立身　甲辰進士。 袁登陛							
科分未詳		王庭琬　字完璞，甲辰進士。						
二年甲辰	謝宜相　解元。 莫予同 王之墀 方宏禮 朱閑聖	趙獻猷 黃楷 張忠震　甲辰進士。 夏廷儒 何琇		劉振			陳洵	王綰

張廷選
張淳
高弘緝
庚戌進士。
徐坦
萬鍾
蔣宗泌
阮汝暻
甲辰進士。
陳王庭
丁未進士。
邵錦旗
方斌
黃登賢
叔琳子，

甲辰進士。
陳兆熊
朱楷
孟文偉
陳思儼

	四年丙午
丙辰進士。 黄詠 丙辰進士。 嚴調律 錢紹祖	陳實頴 馬尹奇 徐安民 丁未進士。 江素 張昱 張琰 甄汝冉 丙辰進士。 史錦
	裘樹棠 丁未進士。 璩秉恭 王克立 張灝 原籍浙江錢塘，字卓人，丁未進士。 繆燦
	杜伯鉅
	楊燭 庚戌進士。 楊烘 癸丑進士。
	葉銘 丁未進士。 宗一鵬 耿世傑 曹雲昇 丁巳進士。 蔡珏 丁未進士。

余譜
何國柄
蔣炳
陳文先
沈繩祖
徐熊
徐寅
羅圻
田志勤 字崇廣，癸丑進士。
王康 丁未進士。
李曉
阮汝昭

丁未進士。
韓文士
袁儒行
丁翊壽
李作楫 庚戌進士。
張如軾 詳方技。

陳瑺 丁未進士。

庚戌進士。
張廷掄
庚戌進士。
周朗
庚戌進士。
胡夢杜
胡世繹
魏其瓌
癸丑進士。
余祐城
徐浤
趙凱圖
董天予
陶學潛

	七年己酉
方宏廉 劉東甯 字起震，丁未進士。 黃元幬 字子寬。	謝鍠 庚戌進士。 宋長城 庚戌進士。 馬熼 張之浚 庚戌進士。
	何璘 龐元凱 陳策 陸鑑 陳邦勳 張芳傳 鄭尚桂 丁燦 張琳
	楊秀 解元，字掄升，庚戌進士。 楊熠 楊熥 丁巳進士。 王灝 深澤副。
	邵綱
	韓珠 安肅教諭。 李珩 韓琮 湖北歸州知州。 沈爾棠 庚戌進士，復姓

薄岱 庚戌進士。

段修仁 丙辰進士。

程永庚

王鑑 癸丑進士。

金溶 庚戌進士。

馮秉彝 原籍江蘇金壇，字德嘉，□□會試中式，乙丑

趙璟 庚戌進士。

縣教諭。

顧。

馬文耀 鹽山教諭。

王璋

	十年壬子
補殿試。馬大紳 王治國 丙辰進士。邵自勵 許式玉 趙毅業	邵大業 解元，字厚庵，癸丑進士。沙宗義 顧銓 何錦 劉毓珍 癸丑進
	葛卜元 梁志格 張秉仁 孫坦 己未進士。陳文燦
	卜大川 丙辰進士。楊焯 副。戊午舉人。
	解禧 李光瀾

士。

劉中

羅齡　癸丑進士。

王錦　字宸章，己未進士。

馬琇章

温葆經　丁巳進士。

徐淳　癸丑進士。

李紀

石之琳

	十三年乙卯
謝位藩 趙德基 黃鼐 李文燦 黃守謙 張廷楊	羅世芳 字秀之，丙辰進士。按：雍正以前舉人，據畿輔唐志，乾隆以來並無記載。禮部檔册，道光朝已
	潘伊琪 原籍湖北蘄水，四川清遠知縣。 何珍 丙辰進士。
	楊煇 兩淮大使。 楊煥 武邑教諭。
	戴之适 壬申進士。
	顧文鼎 知縣。 李廷鈺

	乾隆元年丙辰恩科
不甚全，何論以上，謹載所知，餘並闕。	黃登穀 丁巳進士。 祝勳 丁巳進士。 張琪 丁巳進士。
	李綬 辛未進士。
	田元樞 字辰彥，臨榆教諭。 丁坡 任枚 山西臨汾知縣。 羅鳳儀 丁巳進士。 韓健 蔣坡

科分未詳	黃鶴齡 丁巳會試中式，壬戌補殿試。	盧憲觀 字賓五，丁巳進士。 朱良弼 丁巳進士。 王光燮 丁巳進士。						
三年戊午	費昭 原籍浙江歸安，字懷兗，己未進士。	龔廉 原籍江蘇武進，壬戌進士。		楊焯 辛未進士。				劉均 潘炯 己未進士。
科分未詳	徐垣 原籍浙江山陰，字	張鷟 己未進士。						

芷亭，已未進士。

李元芳 已未進士。

徐文煜 字亮采，已未進士。

高廷元 已未進士。

丁士睿 已未進士。

張昱 已未進士。

聶元善 已未進士。

六年辛酉	吴廷樞 原籍浙江山陰。 王欽 本姓劉，壬申進士。 朱繡 原籍浙江歸安，字鵠雲，乙丑進士。 田志蒼 字東山，甘肅燉煌知縣。			楊國華 江西分宜知縣。 楊國善 吴承周 清河縣教諭。	劉維基			王志仁 副。 何爾昌 副。原籍江南長洲，庚午舉人。

科分未詳

徐浩　壬戌進士。
施鼎　壬戌進士。
田志隆　字晉三，壬戌進士。
江士瑞　壬戌進士。
鄒本立　壬戌進士。
項鏕　壬戌進士。

盛英　壬戌進士。
王文標　壬戌進士。
李縉　壬戌進士。

劉圻　壬戌進士。

	九年甲子
劉玗 壬戌進士。 金洪 字正始，壬戌進士。 毛永爕 壬戌進士。 董天柱 壬戌進士。	吴坤 原籍浙江山陰，廣西馬平知縣。 高兆煌
	楊國翰 山西□□知縣。
	楊棟 乙丑進士。 周坰 原籍浙江會稽。

	科分未詳
甲戌進士。吳雲步壬申進士。徐綗本姓盛，己丑進士。吳楫己丑進士。	陶以忠乙丑進士。侯鈞乙丑進士。
	徐文光乙丑進士。劉永受乙丑進士。
	楊成乙丑進士。
徐燦 楊炎昌 張國珩副。李廷俊副。	丁虬乙丑進士。

	十二年丁卯
孫英 乙丑進士。 李元標 乙丑進士。 于超 乙丑進士。 金澍 乙丑進士。	朱筠 字竹君，甲戌進士。 朱珪 筠弟，字
宋紀 乙丑進士。	
	杜鴻儒 浙江開化知縣。 陳啟宗 壬申進士。

石君，戊辰進士。

王　炎　復姓謝。

翁方綱　字覃溪，壬申進士，重宴鹿鳴。

金祖昌　辛未進士。

魏椿年　甘肅甘涼道。

王兆燕

戴　純　原籍江南丹徒。

李應春

陳　淞

王　超　原籍江南揚州，復姓官，改名景超。

李　斌

科分未詳	十五年庚午
王琰 戊辰進士。 袁增 戊辰進士。 舒毓椿 字度平，戊辰進士。 葉啟豐 戊辰進士。	朱垣 珪兄，辛未進士。 吳元龍 詳先賢
王廷璋 戊辰進士。 唐文運 戊辰進士。	
	胡廷璐
顧人驥 戊辰進士。	
梁國治 原籍浙江會稽，字階平，戊辰進士。	倪祥麟 黄斌 顧圻 原籍蘇州，復姓

	科分未詳
傳。	吳肇元 字會照，辛未進士。 楊秉銓 辛未進士。 温葆初 辛未進士。 舒元焨 辛未進士。
	張孝泉 辛未進士。
	王應元 辛未進士。
江。 何爾昌 劉灝 鄒灝 原籍江南吳縣。	

十七年壬申恩科	科分未詳
王繼耀 字鸞坡，贊皇訓導。	章天垣 壬申進士。 宋登元
張模 字元禮，壬申進士。 丁傑 本姓馮，甲戌進士。	孫道周 壬申進士。 夏永
楊維誥 福建福安知縣。	
徐煥 甲戌進士。 侯錫 原籍江南金匱。 王泰 原籍江南江都，復姓江，改名廷泰。 王志仁 原籍江南長洲。	陸象雲 壬申進士。

	十八年癸酉
壬申進士。	
壬申進士。	查善長 爲仁子，字樹初，甲戌進士。
	田芳
	田營 元樞子，豐潤教諭。 王大鶴 丁丑進士。 谷瀚 王懋執 柳城 原籍江南泰州，復姓官，改名柳晟。 王昊 副。原籍

	科分未詳
	李天墀 甲戌進士。 王林 甲戌進士。 薛田玉 原籍江南無錫，字璞堂，甲戌進士。 張潤 甲戌進士。 孫際清
	孫枝 甲戌進士。 徐元弼 甲戌進士。 呂瀶 甲戌進士。
浙江餘杭，復姓葛。	

	二十一年丙子
甲戌進士。狄棣甲戌進士。徐君弼甲戌進士。	
	龍承祖
	祝頲原籍江南金匱。汪還壬原籍江南歙縣，改名還仁。葉鈺原籍江南，復姓

	科分未詳
	俞瀚 丁丑進士。 楊廷樺 丁丑進士。 郭世誼 丁丑進士。
	張光啟 丁丑進士。 吳潮 丁丑進士。 鍾光序 丁丑進士。 朱天英 丁丑進士。
張。 梁啟明 原籍江南懷甯。	

二十四年己卯	龍鐸 字振升，江蘇吳縣知縣。				劉格			
科分未詳	楊德麟 庚辰進士。	孫維龍 庚辰進士。				楊企曾 庚辰進士。		
二十五年庚辰恩科	邵自昌 字楚帆，戊戌進士。 万纁							金銓 臨榆教諭。
科分未詳	曹君弼 辛巳進士。 邵庾曾 字湘芷，	米天琦 辛巳進士。						

	二十七年壬午
辛巳進士。邵自鎮 原名自逵，字笠塘，辛巳進士。吳興宗 辛巳進士。	
	邱庭樹 詳方技。劉煇 復姓謝，名劉煇。王鷺 復姓謝，名王鷺，丙戌進
	徐純 復州學正。
	胡大棻 内邱訓傳。雷鐏 詳先賢傳。張維基 知縣。蕭士鋭

	科分未詳
	舒元豐　癸未進士。 邵一映　癸未進士。
士。	陳　彬　癸未進士。
撫甯教諭。 劉錫嘏　字純齋，己丑進士。 孫祥鳳　原籍浙江歸安，字擊九，山東汶上知縣。 謝肇汾	

	三十年乙酉
王麟書 癸未進士。 李之英 癸未進士。 楊廷柱 癸未會試中式，丙戌補殿試。	邵稼曾 副。字東溪。
	馮維 教諭。 顧沂 廣西知縣。 謝肇洞 山東鉅野

	科分未詳
	黄秉經 丙戌進士。 黄良棟 字翼安，丙戌進士。 黄符綵 丙戌進士。
	謝遇 丙戌進士。 胡京 丙戌進士。 陳庭學 丙戌會試中式，己丑補殿
知縣。 劉錫侯 改名錫信。詳先賢傳。 謝錫位 原籍浙江會稽。	

	三十三年戊子
李蔚 字青岑，丙戌進士。陳彙義 丙戌進士。	劉以垂
試。	吳哲 己丑進士。
	胡紀謨 甘肅知縣。賈肇新 □□知縣。趙瓌 辛卯進士。謝肇渚 改名肇

								洙，辛卯進士。
科分未詳	魯用恩 己丑進士。	戴求仁 己丑進士。 朱近曾 己丑進士。 張珠 己丑進士。						
三十五年庚寅恩科	朱錫彤 山東膠萊運判。	孫文起 辛卯進士。 張志楓 副。原籍浙江烏		劉欽 辛韞价 劉鐸 字覺斯，棗强教諭。	張曰哲			石德麟 甘肅知縣。 林德純 鄭文英 教諭，

程，字雙瞻，乙酉拔貢，辛卯舉人。

王覲宸 庚子進士。
毛登瀛 丁未進士。
馬廷俊 山西知縣。
陳河圖 知縣。
趙天佑 原籍江蘇吳縣，復姓吳。
陳廷璣 副。原籍浙江上虞，辛卯舉人。

科分未詳	三十六年 辛卯
邱文愷　辛卯進士。	徐大榕　原籍江蘇武進，字向之，壬辰進士。
陳源燾　字奕堂，辛卯進士。 史積容　辛卯進士。 辛開一　辛卯進士。 王遡曾　辛卯進士。	張志楓　改名端宸，候選知縣。 張　璿
	王永昭　樂亭教諭。 楊輝燦　陝西咸陽
	宋其煒　山東知縣。 沈　泰　知縣。

	科分未詳
施韡　河南虞城縣知縣。 蔣震　湖南甯遠縣知縣。 包慷　字素心，辛卯進士。	俞大猷　壬辰進士。 周元良　壬辰進士。 熊言孔　壬辰進
貴州施秉縣知縣。	邱庭瀣　字芷房，壬辰進士。 劉印全　壬辰進士。 王永緒
知縣。	
劉坤　御史。 謝肇澍　原籍浙江山陰。 陳廷璣 陳柏　副。	

	三十九年甲午
士。	趙汝玉 惲鵬 方寶昌　四川温江縣知縣。 惲燮　乙未進士。
壬辰進士。	徐秉恆　字立方，懷來教諭。 張鏞　乙未進士。 王履謙　復姓孫，戊戌進士。
	楊步雲
	馬堂　知縣。 賈步曾 魏紹源 馬振鷺　原籍浙江山陰。 沈培　原籍江南常州，國子助教。 林長華　原籍江南上元。 唐仲冕　原籍湖南

	科分未詳
	胡文銓 乙未進士。 章宗瀛
	何循 原籍安徽桐城，字南陵，乙未進士。
善化。 顧超 原籍江南長洲。 王霽 謝肇澐 知縣。 謝肇濂 知縣。 劉愷 副。字爽亭，雲南廣南知府。	

	四十二年丁酉
原籍浙江山陰，字登之，乙未進士。 孫瀚 乙未進士。 戴聯奎 乙未進士。	葉世經 詳先賢傳。 王霖 本姓沈，廣東豐順縣知縣。 劉魯男
邱桂山 庭樹子，字依千，乙未進士。 蔣基 乙未進士。	查誠 善長從子，字衛中。□部郎中。（據查氏譜） 王煥 復姓謝，廣西永福
	張吉士 副。
	張紳 知縣。 陳榮 黃永清 徐彬 原籍江南丹徒。 周懋曾

更名青照。

袁筠　雲南順甯府通判。

葉芬

陳均　甘肅通渭縣知縣。

謝賚

謝孟蘭　江西石城縣知縣。

楊宣之　副。字存齊，山東長清知縣。

縣知縣。

楊清輪

卜桐高　浙江分水縣知縣。

王佑用

王錫　復姓余，名王錫。

原籍浙江永嘉。

沈璠　原籍蘇州。

何光岳　原籍蘇州。

馮秉乾　副。

王治

科分未詳

王天禄 字石渠，戊戌進士。

吴裕德 字紹聞，戊戌進士。

盛時杰 戊戌進士。

邵自悦 戊戌進士。

范 澐 戊戌進士。

蔡必昌 戊戌進士。

四十四年己亥恩科	科分未詳
朱錫經 珪子，太僕寺少卿。 趙汝錫 本姓巢，廣平縣教諭。	范鏊 字升度，庚子進士。 李銘 庚子進士。 陸廷樞 庚子進士。
陳昶 奉天錦縣知縣。	高棫生 字芃麓，庚子進士。 徐汝瀾 字鼎三，庚子進士。 張肇揆 庚子進
丁堂 何源 河間府訓導。 丁坰	

	潘　漢　庚子進士。	士。						
四十五年庚子	吳星曜　刑部郎中。	張中正　模子，字貞一，福建福甯府知府。						張宗炎 劉　筠　副。同知。
科分未詳	王思詒　字鴻緒，辛丑進士。 王　綬　字介堂，辛丑進士。 祝　堃	李彭齡　辛丑進士。						

	原籍浙江海甯，字簡田，辛丑進士。 陸鐘 辛丑進士。							
四十八年癸卯		查彬		金丕績 字禹謨，知縣。 楊賡文 河南汜水知縣。				丁楷 甲辰進士。 楊哲 副。 薛廷桂 副。
科分未詳	章廷楓 甲辰進士。 李衡	王奉曾 甲辰進士。 史積英						

	五十一年丙午
甲辰進士。	方聯聚 詳先賢傳。 朱錫黻 山東鹽課大使。 俞廷欽 原籍浙江德清，字夙存。 俞恆泰 原籍浙江德清，字春湖，中書。 俞恆澤 恆泰弟，
甲辰進士。	徐秉謙 字光庭，棲霞知縣。
	唐慶餘 副。河南許州州判。
	趙政 復州學正。
	倪鑅 己酉進士。 沈堂 原籍江蘇武進，河南鄢陵縣知縣。 魏鈞 庚戌進士。 羅德營 浙江富陽知縣。

	科分未詳
字楚七，己未進士。俞恆沛副。恆泰弟，字仲霖，戊申二次副，壬子舉人。	包愷丁未進士。翁樹培丁未進士。王肇成丁未進士。
	余芳

五十二年丁未欽賜								劉埏 原名堅，江蘇揚州同知。 劉堪 國子監丞。
五十三年戊申豫行正科	舒位 大成孫。詳先賢傳。 邵葆醇 字松疇，庚戌進士。 謝城 癸丑會試中式，乙	謝棟 原名樟，河南汝州知州。						金和 潘墉 教習。 薛廷桂 定興教諭。 魏紹濂 庚戌進士。 金檑 己酉進

卯補殿試。

朱錫爵 珪子，山東布政使。

朱錫庚 署山西潞安知府。

俞恆潤 恆泰、恆沛、恆澤弟，字朗懷，己未進士。

俞恆沛 二次副。壬子舉人。

士。

科分未詳	五十四年己酉恩科
施杓 己酉進士。 金檑發 己酉進士。	邵葆祺 大業孫，字壽民，丙辰進士。 朱爲凱 原籍浙江會稽。 謝壇 福建光澤知縣。 陳旭
	陳雲 本姓萬，字遠雯，癸丑進士。
	汪錚 唐慶餘 睢州州同。
	朱雲錦 南和教諭。
	孫仁
茅豫 己酉進士。	謝奎 崔成輔 李如琇 錦州教授。 雷學海 鐏子，字澮夫，乙卯進士。 白鎔 己未進士。

	恩賜	科分未詳	五十七年壬子
山東同知。			俞恆沛 饒陽教諭。 謝序
		陳預 字立凡，庚戌進士。 史積中 庚戌進士。	王臣 本姓謝，山東鄒縣知縣。
			沈鳳集 廣宗訓導。
	王家相 副。 潘掄元 副。		劉壇 乙丑進士。 商載

	科分未詳
更名幹，字榮存，壬戌進士。	王麟書 字仲文，癸丑進士。 戴三錫
原籍大興，字仲言，辛酉進士。 商起 原籍大興，癸丑進士。 丁文鈺 山西屯留知縣。 潘杰 乙卯進士。	

	字羨門，癸丑進士。							
五十九年甲寅恩科	朱澄 字靜江，己酉拔貢，辛酉進士。 趙鍾書	周廷俊 字子及，廣西馬平知縣。		張世桐 副。				雷學淦 鐏子，字湘鄰，江西新建知縣。 雷學淇 副。鐏子，乙卯舉人。
科分未詳		李泉 乙卯進士。						
六十年乙卯	田籍 字千畝，貴州知			馮順 順德府教授。				王廷濬 解元，乙丑進士。

	縣。							阮琳 雷學淇 甲戌進士。 陳焯 淶水教諭。
科分未詳	黃焜望 良棟子，字耀寰，丙辰進士。	譚元 丙辰進士。		王灝 副。 左訒 副。				
嘉慶三年戊午	丁煦 湖南零陵縣知縣。 丁嘉幹 董天醇			楊步蟾	葉芬	孟珍 大名訓導。		劉澍 字照峯，辛酉進士。 羅德煒

	科分未詳
吴錫寰 字仲文，己未進士。	趙玉 字藍生，己未進士。 汪桂林 己未進士。 王廷紹 字楷堂，己未進士。 孫喬齡 己未進士。
	朱學蘧 己未進士。 賞鍇 字錫南，己未進士。
東明教諭。	

	五年庚申恩科
沈世求 己未進士。 林天培 己未進士。	傅士奎 原籍浙江會稽，山東濟南府同知。 徐松 字星伯，乙丑進士。 唐虞 更名中載。
	符熥 趙鍾彦 屠英 辛酉進士。 嚴可均 改歸浙江烏程，字鐵橋，建德教諭。
	李如璋 湖南辰沅永靖兵備道。 王敏 淶水教諭。

魏襄 原籍江蘇武進，字曾容，乙丑進士。

莊詵男 字子振，壬戌進士。

邵葆槎 副。字溶舫，辛酉舉人。

朱錫玉 副。州判。

恩賜

朱涂 江蘇江安督糧道。

科分未詳

徐鴻

辛酉進士。

傅棠

字繼夏，辛酉進士。

查訥勤

字謹夫，辛酉進士。

錢槱

辛酉進士。

沈旹中

辛酉進士。

王達

字達人，辛酉進士。

六年辛酉	恩賜	科分未詳
邵葆鍾 字粲谷，乙丑進士。 謝迴 邵葆槎 雲南鶴慶州知州。		孫世昌 字掌行，壬戌進士。 高廷魁 字仰山，壬戌進士。 王慶長
楊萼懷		胡開益 字仲謙，壬戌進士。 瞿昂 字子皋，壬戌進士。 朱玉林
	穆得元	
謝元暉		
鮑克莊 肅甯教諭。 劉瀜 吴橋教諭。		

	九年甲子
壬戌進士。	金皋 朱希良　己卯進
字蔭塗，壬戌進士。 劉丙　壬戌進士。 余保純　壬戌進士。 韓保萬　壬戌進士。 鄧自申　壬戌進士。	周培 蔣瑛 葉璟
	孫錦
	楊承湛　辛未進士。

士。
糜錦標
張光傑
徐銓 字士衡，乙丑進士。
李印光
徐鑑 字涵香，乙丑進士。
胡栻
沈道寬 字栗仲，庚辰進士。
金起業

戊辰進士。
鍾黼
呂星燕
錢林勳 乙丑進士。
許世壎 甲戌進士。
卜濟
葉仲元
王度 己丑進士。
劉懋德
鄭禄

潘鳳來 副。

	科分未詳
王渠曾 字拂珊，戊辰進士。 徐渭川 沈禮 戊辰進士。 鮑潞 姚亮 周澧 施棠 郭瑠	陳三立 乙丑進士。
	周階平 原籍江蘇溧陽，乙丑進士。

	十二年丁卯
	朱瀛 澄弟，字東洲，己巳進士。 馮瀚 原籍浙江慈谿，沆子，大挑教諭。 劉國仲
韓錦 乙丑進士。 劉謙 字受之，乙丑進士。	繆庭標 原籍江蘇江陰，字鐵亭，戊辰進士。 繆玉銘 原籍江蘇江陰，字右屏，己巳進士。 趙植庭
	王象元 劉鉝
	解兆青 甯遠州教諭。
	陳錦堂 白錕 知縣。 李錦 己巳進士。

字仲懷，戊辰進士。

吴承烈　甘肅通渭縣知縣。

科分未詳

丁嘉幹　戊辰進士。

張　葆　字善存，戊辰進士。

劉亨地　戊辰進士。

姚丙成　字在鏡，

鄒士麟　戊辰進士。

趙鍾彥　字任之，戊辰進士。

朱文夔　戊辰進士。

	十三年戊辰恩科
戊辰進士。 汪桂葆 戊辰進士。 田文洛 戊辰進士。	馮洵 沆弟，高邑教諭。 徐以錞 謝增 己巳進士。
	費湘 李新畬 福建上杭縣知縣。 徐椿 副。字春泉，戊寅舉人。 沈錫疇 字小田。
	馮秉泰 江蘇新陽知縣。 羅顯圻 河南知縣。 丁文瑩 王璋 宋珽 國子助

	科分未詳
	陳繼義 字倬田，己巳進士。 姚慶元 字友愷，己巳進士。 徐連 己巳進士。 田華 己巳進士。
	陳詩 己巳進士。 王世棠 己巳進士。
金樑 教。副。	

十五年庚午

俞文德 原籍浙江會稽。

邵甲名 葆醇子，字丹畦，己卯進士。

吕珊 淄孫。

王世榜 覺羅教習。

吕瑾 更名子珊，河南偃師縣知縣。

盛榮 更名隆，浙江海甯州知州。

丁垣 山西介休知縣。

劉琦

雷學瀛 陝西山陽知縣。

馮淦 甲戌進士。

科分未詳

莫焜 字廣五，辛未進士。

劉晉 辛未進士。

鄭長錄 辛未進士。

邱家煒 字彤百，辛未進士。

陶鎔 辛未進士。

張學尹 辛未進士。

張師德 辛未進士。

閻善慶 字子治，辛未進

謝元暉 辛未進士。

士。

十八年癸酉

江盈科
韓之錦
唐建庚
李徐翺
任肇奎
丁嘉業 雲南江川縣知縣。
沈崇信
徐樹堦
張世鏞
陳廷杰 壬午進士。
程式金 庚辰進

陸開豐
孫仲海
馬洲 己卯進士。
張傑
劉禮奎 字南宮，甲戌進士。
周曰炳 字虎文，己卯進士。
戴植義
張煦
范如坦

張虎仁 壬午會試中式，丙戌補殿試。
强上林 甲戌進士。
潘黼 丁丑進士。
李綸光 知縣。
王文林 壬午進士。
王廷鳳

	科分未詳
士。劉楷 高槐業 金珽 何枚 周濂 字仁甫，己卯進士。邵與名 字循旃，鹽大使。吳遇春	程銓 甲戌進士。沈成 甲戌進
張志彥 朱其蘭 史積新 壬午進士。錢儁 張甸翔 復姓劉。張承基 買元慶	戴於義 字子直，甲戌進士。
西甯教諭。金櫟 元氏訓導。繆文增 原籍江蘇江陰，字澍亭，安徽太和縣教諭。	

	二十一年丙子
士。	董諒臣 原籍江蘇武進，更名基誠，字玉椒，丁丑進士。 孟廣沅 丙戌進士。 韓紹寅 張商霖 吴纘緒 改名元慶，山西翼城縣知縣。
	項本彝 江西瑞安縣知縣。 俞佐慶 饒守誠 周新 改名邦彦。 劉禮淞 章藻 張保齡 楊明善 丙戌進士。 汪廷煒 熊佩之
	王嘉謨 楊明輝 安樂縣訓導。
	劉源灝 癸未進士。 張步瀛 刑臺訓導。 楊丕模 容城訓導。
	雷學潮 靈壽教諭。 黃士培

丁熙
李雲錦
王大枚
吳汝升
劉文蔚壬午進士。
於炳中
陳源
徐樞改名鈞祖。
張爾復改名萬年。

庚辰進士。
徐中孚
汪裕仁副。
章誥副。

是科莊曾望、改名湛恩。張鳳祖改名宸桂，並副。未詳何州縣籍。

科分未詳	二十三年戊寅恩科
施棠 丁丑進士。	方履籛 聯聚子，字彥聞。詳先賢傳。 李雲章 字子文，撫甯教諭。 王會 復姓謝，更名炳
王貽柱 字小山，丁丑進士。 王元洪 丁丑進士。	龔冕 原籍江蘇陽湖，丙戌進士。 盛鎬 徐椿
	燕士煜
	張曰哲
	謝瑄 吳茂孫 河南南陽知縣。 丁文釗 庚辰進士。 屠敦詩 無極教諭。 白讌卿

	科分未詳	二十四年己卯
曾，河南桐柏縣知縣。 丁壽彭 南河通判。	程澐 字二眉，己卯進士。 陳增稔 己卯進士。 張署 己卯進士。	劉汝剛 安徽無爲
	戴本義 己卯進士。 王頤 己卯進士。	俞昌烈 詳先賢
鎔子，字幼迂，己丑進士。 劉準 副。刑部員外。		馬驌 清豐教

	科分未詳
州知州。	邵曰誠 字榆南，庚辰進士。 鄭翊 庚辰進士。 錢相
傳。 陳思 原籍浙江歸安，字馨顏，庚辰進士。	
	劉芸 副。
諭。 武天弼 丙戌進士。 仇汝弼 陝西寶雞知縣。 白讓卿 鎔子，壬午進士。	吴棣 新樂訓導。

道光 元年辛巳	
查咸鄞 解元。	庚辰進士。 陳增印 字信甫，庚辰進士。 張萬年 字青光，庚辰進士。 馮文燦 庚辰進士。 范承祖 庚辰進士。
史麟善	
張步蟾 長甯知	
陳元麒	
張桂林 福建莆田	

恩科

湯建中 山東運河同知。
吴喬齡
李振江 改名新幹，江西同知。
李承錫 山東平度州知州。
趙藹庭
趙鈞謨 廣東澄海縣知縣。
李攀龍 己丑進士。

縣。
朱汝爲

知縣。
雷學澧 副。陝西知縣。

科分未詳	二年壬午
王汝弼 壬午進士。 徐青照 壬午進士。	劉丙 字漁山，教諭。 劉湄 九華子，字樹瀛，湖南知縣。 張慶恩 原籍浙江歸安，字子榮，縣
鍾錫瑞 壬午進士。 張志彦 壬午進士。	李從圖 彭齡子，字賓我，己丑進士。 初榮熙 字光宇，內閣中書。 高應甲 丁善慶 原籍湖南善化，字
	吳廷璋
	李奎文 如璋子，字聚五，河南知府。 劉廷檢 澍子，字東吾，乙未進士。 屠元瑞 江蘇兵備道。

丞。
丁嘉葆 原籍江蘇武進，字誦生，戊戌進士。
范端培 桂巖知縣。
陳式玉 字潤生。
周煐蓀 字際唐。
高林育 兆煌孫，初名膺紱，字章有，貴州知縣。

伊輔，癸未進士。
屠敦樂
顧履泰 字安軒。
葉嵩齡 字祝三。
徐耀 字寶山，癸巳進士。
劉德求 字武周。
李長棻
呂敏 珊子，字叔克。
張希哲

雷學濤 鐏子，字崧奎，廣東四會知縣。
張梓林 字裁琴，福建知縣。
李舒林 字文暢，丙戌進士。
朱廷杰 候選知府。
宋埏 江西知縣。

王顯緒　字續庭。
胡　炳
沈　清
徐慶綸　字士經。
謝榮埭　原籍浙江慈谿，字履初，丙申進士。
朱之榮
文　鈺　字相甫。
徐　瑋
徐源湘
樊　霖　副。

光熙子，字思呂，癸未進士。
馬騰飛　字从龍。
桑春榮　原籍浙江會稽，字百齋，壬辰進士。
孫志仁　字體元。
孫　墤　字麗堂。
王爲垣　字仲景。
畢先爵　副。字賡

	科分未詳
	孫濟 字既堂，癸未進士。 唐建庚 癸未進士。
言。 黃紹鏞 副。 章和會 副。 徐嘉禾 副。 習光藻 副。	史致蕃 癸未進士。

三年癸未 恩賜	五年乙酉
朱甘霖 湖北安陸知縣。	劉鈞貽 四川仁壽縣知縣。 王順修 周鎬 户部主事。 王天錫 張秉廉 金瑩 王光綍 吕兆熊 湖南桂陽州知州。
	張繼儒 韓惇 袁俊 己丑進士。 吕振騏 字季穎，丙戌進士。 張行檢 孫汝洲 吴企寬 山東鄒縣知縣。
	丁起 平鄉教諭。 潘斌 雲南羅平知州。 金瑩 廣西永康知州。 劉澄 四川井研知縣。 魏敬儀 四川知縣。

陳慶樞
章文津
丁廷實
陳嘉淦
俞恆淳 原籍浙江德清，字樸園，湖北知縣，殉難。
胡雲鵬
吴森 浙江江山縣知縣。
張維翰
王祐
張鴻璞
湯秉中

馬映辰 丙戌進士。
侯晟
李淮
翟鈞
初慶鄘
張樞
馬光奎
李自新
張壽齡 副。
李嵩翰 副。
狄九齡 副。

程杰 雲南宣威知州。
杜荃 副。知縣。
蔣實印 副。

	科分未詳	八年戊子
副。	莫元遴 丙戌進士。	包承培 王召平 優貢。 席元善 王焴 陶澐 字漣生，己丑進士。 嚴文瀚 張頡雲 宋鉞 李鏞
	朱琦 丙戌進上。	徐斌 丁楚玉 字紫琳，丙申進士。 徐有壬 原籍浙江烏程，字鈞卿，己丑進士。 汪銓 漆懷英 瞿嘉祐
		邵實林
		朱汝愉 吳喬教諭。
		王存仁
		李鴻文 改名煥文，江蘇海門同知。 梁敞 河南新安知縣。 孫瀛 原籍大興。 劉廷杰 詳方技。 李景文

朱世璜
湯敏中 安徽盱眙縣知縣。
何豫綸 安徽建平縣知縣。
陳价藩
鄭錫文 壬辰進士。
丁嘉藻 己丑進士。
楊文和
唐廷綸 丙申進士。

內閣中書。
楊裕
史致康 字叔平，四川候補道。
韓潮
蔣又伸
馬書奎
徐勳
朱其榮 癸巳進士。
葉森
涂文鈞 己丑進士。

副。廣東信宜知縣。
劉溥 副教諭。

	陶紹泉　謝膺祺　李嘉端己丑進士。　沈俊副。　符瑩副。　吴錦堂副。	汪鋐　陳景湛副。　吴恭副。						
科分未詳	傅繹己丑進士。	李親賢己丑進士。						
十一年辛卯恩科	董似穀原籍江蘇武進，字粹夫，戊	馮晟原籍江蘇武進，字春臯，壬				馬青雲		劉錫恭埏子，字恪庵，唐山訓導。

戊進士。
周蔭南 原籍江蘇宜興，字愛棠。
李壽山 字仁鏡。
高魯 原籍浙江，字省三，戊戌進士。
余耀南 原籍江南霍山，字星茹。
黄慶蘐 原籍安徽休甯，騰

子進士。
劉榮桂 琪子，字薌泉，壬辰進士。
黄廷珍 原籍湖北鍾祥，字席聘，壬辰進士。
夏雲 崇樸子，字縉卿，長垣教諭。
倪丹林 原籍浙江，字益齋。

李佩文 如琇、如璋从子，改名右文。詳先賢傳。
王格 字紹莘。
谷應鳴 字嵩屏。
楊士箴 字顧言。
李希固 字言六。
許佐湯
馬琪 副。

達孫，字樹陔，甲辰進士。

王振修　原籍江蘇，字邵修。

裘紹箕　原籍福建光澤，字允光。

姚振翥　原籍浙江錢塘，字星甫。

謝膺禧　膺祺弟，

呂晉　字又常，雲南知縣。

趙振祚　原籍江南陽湖，字伯厚，乙未進士。

何鎔　原籍浙江山陰，字子範，壬辰進士。

趙善慶　改名榮祺，知縣。

馬豫

字鈞卿，癸丑進士。

光煥章 原籍安徽桐城，揚曾孫，字子怡。

華端揆 原籍江蘇，字春生。

蔣嘉煒 原籍安徽，字彤軒。

趙元琛

胡光泰 原籍浙

原籍江蘇宜興，字簪甫。

王觀潮 原籍浙江山陰，觀濤兄，字海樓，保定訓導。

初榮勳 喬齡子，字垚臣。

張　淮 原籍江蘇武進，字向惟，湖南保靖縣知縣。

江，字韞華，庚子進士。
孫炳昌
字儀吉。
李价藩
本姓吕，字裁因。
鄭重
錫文兄，字懷民。
黄慶樾
原籍貴州清鎮，輔廷子，字賡三，中書。
孫澐
周銘恩

	十二年壬辰補正科
原籍江蘇丹徒，字曉春，壬辰進士。	謝兆櫰 儲　鴻 陸大中 徐祖望 錢元善 戴拱辰 劉向生 惲爾謙 原籍江蘇陽湖，改名光宸，字濬生，戊戌進士。 晏彭年
	秦炳章 虞家泰 字怡元，庚子進士。 徐文燿 傅自銘 余錦淮 辛丑進士。 王廷崑 世榜子。 宋載賡 蔡　謨
	劉源濬 乙未進士。
	潘紹訓 金廷論

孔繼鑠 字宥涵，丙申進士。

陶自華

陳兆驤

陶樹美

沈浚

吴士禎

邵孚名 改名綬名，字樸山，湖南寶慶府知府。

劉鑑

陳紹曾

王履謙

曹竣

畢先爵 副。

	科分未詳
原籍浙江山陰，字吉雲，戊戌進士。 睦詮 副。 鄒搏萬 副。 周岐源 副。 徐大亨 副。	
	王景銘 癸巳進士。 杜錫衍 癸巳進士。

十四年甲午

馮栻　瀚子，字曉滄，乙丑進士。

吳達思

謝誥

陸敏政

王堃　字芷江，乙未進士。

徐有孚　原籍浙江烏程，字學卿，乙未進士。

史致諤　原籍江蘇武進，字士良，戊戌進士。

呂承業　兩淮鹽庫大使。

朱汝鵬　辛丑進士。

張栻棟　改名賦林，甲辰進士。

劉廷霖　趙州學正。

徐維城　知縣。

杜其俊　南和教諭。

科分未詳

胡應泰 字芸竹，乙未進士。

李維醇 乙未進士。

嚴文瀚 乙未進士。

涂文光 乙未進士。

汪紹曾 乙未進士。

姜申蟠 乙未進士。

陳鑣　乙未進士。

十五年乙未恩科

鄭書　原籍安徽，字繼宣。

李嘉綬　改名嘉端，字虎冰。

金葆

莊保安

龔寶莲　冕子，字静軒，辛丑進士。

周錫鈞

江開　原籍安徽，字龍門。

董用威　原籍浙江，字者香，丙申進士。

倪夢麟　原籍浙江，字麓橋，戊戌進士。

倪丹書

邵瀛奎

李九鵬　字鶴眠，清苑教諭。

丁錫疇　字蓮府，福建屏南知縣。

馬慶琛　原籍浙江，字南金。

劉恩溥

潘慶瀾　原籍浙江，改名士襄，字海槎。

原籍湖北，字勑庵。

張焜 字慕山。

孫謙 字益亭。

俞長贊 文德子，字子襄，辛丑進士。

趙元模 原籍江蘇，字星楣，甲辰進士。

吕茹古 原籍江

字鶴汀。

史鴻誥 原籍江蘇，字依堂。

余澍 字鐵簫。

顧駿 字珩甫，乙巳進士。

朱芾 原籍湖南，字蓉伯。

吴壽南 原籍浙江，字軒霞。

西，改名式古，字宗山。

劉觀慶 原籍江西。

何逢辰 原籍江蘇，字雲士。

劉　鈞 字美紹。

朱保世 原籍江蘇，改名保中，字蕙農。

張中寅 詳先賢

儲德燦 原籍湖南，字筌廷，庚戌進士。

沈國樑 原籍浙江，字岳山。

屠正彦 原籍浙江，字梅崖。

汪　杰 原籍安徽，字小園。

周法鏞 字旒卿。

	科分未詳	十七年丁酉
傳。王樹梅 原籍湖北，字柳村。郭世亨 字梅卿，丙申進士。王孳 改名世昌。	朱守方 丙申進士。	童丙榮 改名福承，乙巳進士。
	邱家燧 丙申進士。	程宇光 解元。
		王炘 廣東廣甯知縣。
		信聯芳 吴廷瑛 副。
		徐文炳 白汝衡 副。四川

沈墉 字崇儒，丁未進士。
葉逢春 辛丑進士。
施襄
喻秉綬
范先秩
沈家振
吳賡鏞
黃棣昌
童光烈
張日謙
段培元 字履旋，丁未進

吳夢徵 字月根。
鍾榮桂
戴鸞翔 字笠溪，戊戌進士。
陳鍾芳 丁未進士。
胡潑經
楊鼎礽
徐震翾 有壬、有孚從子，字郁雨，四川知州。
張煜

眉州知州。

士。

沈士瀛

徐沆

楊承照

張恩培

朱鑾

黃紹先

汪鍾杰

張宗照

陸烜

陳錫熙

鍾淮

丁世祥

朱俊彦

金奎光副。

杜良詢字仲光。

袁績懋俊子，字厔庵，丁未進士。

梁源

朱恩慶

李壽榛

張鵬翀

馬映階辛丑進士。

張淦

周立杓改名道治，字季文，丁未進士。

副。

瞿錫保 字申之。
傅恩煦
崔蓬瀛
施培春
葉澥
胡瑞椿
楊炳春 副。
馬錫晉 副。
諸詔 副。庚子舉人。
靳光祖 副。己亥舉人。

科分未詳	十九年己亥豫行正科
鍾瀛 戊戌進士。 黃樹賓 戊戌進士。	韓寶鴻 己未進士。 程繹藩 廣東三水縣知縣。 王允升 汪全誥 陳濬 辛丑進士。 陳慶松
	沈際清 解元，改歸浙江歸安籍，字潤生，陝西同知。 靳光祖 湯用中 兩淮候補鹽大使。 劉書雲 陳煥
	趙禄保 浙江候補道。
	柏爲霖 副。
	張國士 字紹韓，丁未進士。
陳則廉 戊戌進士。	
	蕭虎臣 改名榮綬，江蘇常鎮通海道，贈太僕寺卿。 王恩溥

字青丈，辛丑進士。

鄭錫瀛 字惕盦，乙巳進士。

高績勳 字竹銘，懷安教諭。

陳　橒

曹景葉

王家楝

余　鎔 字陶軒。

張大齡

程　蔚

羅慶椿

翟景禧 字子昭，廣西知縣，殉難。

李承頴

吴台壽 原籍江蘇丹徒，台朗弟，字介山，庚戌進士。

胡　綬

楊炳春

潘鍾麟

吴台朗 字次園，庚子進士。

	副。丁秉賢副。	邵亨豫副。原籍江蘇昭文，字汴生，丙午舉人。任鳳翔副。張遠澍副。						
科分未詳	范承典鏊孫，字經甫，庚子進士。王晉庚子進士。孫肇元	秦金鑑庚子進士。馬鑄原籍山西介休，改名壽金，庚子進士。						

	二十年庚子恩科
庚子進士。	羅嘉猷 原籍浙江山陰，字翼庭。 高延祐 原籍浙江蕭山，延祉弟，字秩斯，癸丑進士。 董思誠 原籍江蘇陽湖，字子遠。 胡　澐 原籍浙江錢塘，字
	鍾佩賢 原籍浙江山陰，字肇陽，庚戌進士。 朱光紱 原籍浙江餘杭，字繡黼。 潘福棠 潘日朗 字慎甫。 楊鴻吉 原籍江蘇丹徒，字雁湖，己
	劉　甡 副。字菊齋，癸未舉人。
	張建基 字立之，辛丑會試中式，甲辰補殿試。
	邵占鼇 字策夫，丙辰進士。
	李雄文 字鶴亭，同知。 劉炳魁 副。 吳繼昌 副。

甫江，乙巳進士。

鄭　溥　原籍浙江慈谿，字亨仲，山東知府。

趙達保　原籍江蘇武進，字敏甫。

杜良詢　原籍浙江慈谿，字雅三。

陶　棠　原籍浙江會稽，字甘侯。

未進士。

袁　鈞　受盧孫，字坦之。

孫燿先　原籍浙江山陰，字午亭，辛丑進士。

韓光綬　字印士。

趙爾猷

李光熙　原籍江蘇武進，字續甫。

高延祺　字漢章，廣西隆安

俞長賡　原籍浙江會稽，字子颺。

沈維翰　原籍浙江山陰，字子屏，安徽鳳陽同知。

朱榮　改名儀訓，庚戌會試中式，癸丑補殿試。

知縣，殉難。

王樹椿

施燕　原籍浙江會稽，字叔虞。

諸詔

許亦澐　字文軒。

張曾益　副。原籍浙江烏程，志楓孫，字深甫，癸卯舉人。

莊放　副。字雲

	科分未詳	二十三年癸卯
	張彥雲 辛丑進士。	張襄 周人卓 程茂沖 陳汝臬 程紳 惲世臨 原籍江蘇陽湖，字
浦，丙午舉人。 劉青雲 副。 王寶禾 副。		余萼銜 解元，字少冰。 馬福載 江鴻 許宗寅 紀蘭聲 字鳳洲。
		果漢源
		劉甡 趙州學正。 楊靖 字青士，江蘇候補知縣。
		劉伯塤 乙巳進士。 王照 副。
		□瑞麟
		李郁文 知縣。 馬文翰 玉田教諭。 楊士林 知縣。 任桂 河南洛陽

次山，乙巳進士。
繆冠瀛 字鴻初，丙辰進士。
汪望求
陳泰初 字見田，乙巳進士。
陳嗣曾
趙炳奎
周玉衡
謝紹安
陳繼業 壬子進士。

沈桂芬 原籍江蘇吴江，字經笙，丁未進士。
阮開第
丁楷
翁延緒 丙辰進士。
丁廷表
狄尹
楊翰 字海琴，乙巳進士。
戴垚
初慶甡

知縣。

宋學濂
李鼎新
王壽彭
余慶衢
沈寶錕字吟樵，內閣中書。
陶良翰
孫安燾
董孝貽祐誠子，字叔純，四川知府。
李嘉猷副。雲章子，字屺

孫福海
方鉞字海峰，江西知縣。
周立桂
宋克昌
李周南
張曾益福建龍巖州州同。
余啟原
宋光祁
許亦崧字鶴亭，丁未進士。
徐中衢

山，甲辰舉人。
陶汝爲　副。字虞卿。
杜人鳳　副。改名鳳治，字後山。
嚴森材　副。

倪福謙
丁逢吉
夏雲焕　字潤甫，山東知府。
周立楨　副。
任鳳翔　副。
袁繼勛　副。
鄭　暄　副。
陳奉璋　副。

科分未詳	左元烺 甲辰進士。	胡霖澍 甲辰進士。 倪濤 甲辰進士。						黎吉第 甲辰進士。
二十四年甲辰恩科	潘澤霖 原籍江蘇宜興，字應超，福建知縣。 劉開第 顏葆濂 原籍廣東南海，字蓮士。 李嘉黻 劉達善	羅亨鍵 原籍安徽歙，字仲鑰。 喬珥保 字詠九，知縣。 韓一松 字耐青，乙巳進士。 顧榆	高步濤 字仙洲。		劉國彥 解元，字俊民。			詹桂 字成林，成安教諭。 雷樹鏞 字崇甫，廣東四會知縣。 李載文 詳先賢傳。 劉浙

原籍江蘇武進，字子迎，山東萊青道。

沈寶昌 寶錕弟，字佩文，四川打箭鑪同知。

王寶綸 原籍江蘇溧陽，字仰山，江西知縣。

陸烇 原籍江蘇陽湖，字仰莊，四

字秋壽。

瞿績凝 字西橋，丁未進士。

徐家杰 原籍江蘇，字偉侯，丁未進士。

王應昌 字少卿，四川知縣。

張恩澍 國子助教。

胡聯桂 原籍浙江

副。

川墊江知縣。吴之翰 原籍江蘇武進，字少良。徐啟文 原籍浙江會稽，字瀫青，壬子進士。張旅田 字扶鵬。范先敘 字惇伯。邵葆台 錢弁萬 鄭恩奎 原籍江蘇

餘姚，字碧軒。史保悠 江蘇道，殉難。劉輅 師陸子，字公陸。邵亨豫 庚戌進士。朱有筠 浙江批驗所鹽大使。陸和筠 原籍浙江蕭山，字掌衡。

儀徵，字翰清

史敢飴　字味若。

章保順　字貞豫，廣西知縣。

羅嘉謨　改名嘉福，字許庭，乙巳進士。

程　蔚　字蘭崇。

陳兆熊　字禹門，天津府教授。

潘爲鵬　改名清選，字詠民，浙江知府。

顧世綸　字詞潤，河南西華知縣。

李佐宸　字公輔，湖北武昌同知。

潘　杰

朱　棨　恩慶子，改名毓霖，字康侯，户部

杜人鳳

吳葆和

程鴻詔 副。原籍安徽黟縣，字伯彝。

劉玉芳 副。

梅　芳 副。字夢鶴，直隸州判。

曹　琛 副。陝西知縣。

吳士松 副。

郎中。

瞿世榮

張　圻

賀長庚 字仲文。

壽鳳庚 字眉生。

華承臯 原籍江蘇金匱，字誼生。

袁熙載 原籍江蘇陽湖，改名績震，字潮生，四川墊江縣知縣。

汪元卿

	吳詠虞 副。	副。 余紳 副。						
科分未詳	呂式古 乙巳進士。							
二十六年丙午	范年民 侯爾康 馮渠 沅子，字小槎，貴州施秉知縣。 陶慶仍 改名華庚。 李嘉彝	王宗海 解元。 李燕春 謝澤 改名紹璜。 楊廷烈 劉翰清 字申孫。 張元灝 原籍江蘇	游鳳岐 張淇	張樹基 字小岐。 韓皎如 副。字月卿，乙卯舉人。		曹光霖	張錕	李廷詔 教諭。 張樹勳 改名炳烿，癸亥進士。 梁可達 副。字雨樓，癸酉舉人。

吴福田原籍安徽，改名天翔，字心穀，户部司務。

湯世銓浙江開化縣知縣。

吴暉吉

高鉞

侯楨

牟寶森

王泳濂

蘇鳳藻

沈敦蘭江蘇常鎮道。

江陰，字月槎，庚戌貢士。

葉瓖

徐曾庚字裕齋，工部主事，殉難蘇州。

徐冠瀛

周福昌

史致蝦

李嗣基

周壽祺

趙維楨

莊攽改歸浙江籍，兵部

符瀚	何鍾秀	徐孔揚	王桂齊	吳士松	徐勝	鮑廩 改歸安徽籍。	高松年	惲鴻儀 原籍江蘇陽湖，字伯芳，庚戌進士。	陳光晫 副。字曉坪，浙江
主事。	宋存文	彭旭	唐慶章 副。	章桂芬 副。					

	二十九年己酉
武義縣知縣。程鴻詔副。湯信中副。李德源副。字心泉，御史。桑沛副。辛亥舉人。	胡鳳昌 汪鳳述 法昀 吉善 黃茂
	劉傳祺庚戌進士。徐曾稼字茶農。
	賈汝蘭字雪言。
	馬良訓
	胡玉坦安徽按察使。徐金城山西虞鄉

范德馨　壬戌進士。
李士襄
查駿熙
施應梅
吳起鳳
錢觀文　原籍浙江歸安，字獻廷。
鈕達璋
鄭錫鴻　字芷齋。
鄔鴻逵
程鴻詔
潘鼎新
范炳春

狄　岱
陳希謙
陶嘉綬
談寶森
潘慎生
陳德心
錢國珍
張衍福
吳台章
沈鼎鋐
顧　芸　字宜楣，雲南宣威知州。
吳蘭芬
崔廷翰
胡燕清

知縣。

楊豐紳 壬子進士。
惲炳
徐賢熊
周清藻
徐墫
來棐
陶良駿
牟說傅
傅以綏 湖南知縣。
張霞
洪夢星
羅文濤
俞恆瀛

張炳瀛 副。
邱仲坦 副。
戴士芸 副。
李延恩 副。

原籍浙江德清，字海珊，奉天知縣。

俞奎垣 恒澤孫，字叔鸞，壬子進士。

陶棣 副。

鄭祺 副。

邵承照 副。乙卯舉人。

劉汝寬 副。辛亥舉人。

科分未詳	恩賜	咸豐元年辛亥恩科
		張瑞徵 孫兆枚 鄭沅 劉應麟 字笠農，山東知縣。 吴燾 桑沛 字小竹，福建知縣。 鄭錫淳
張師右 庚戌進士。		宋繼昌 何森榮 董萼榮 史賢 辛未進士。 李泳鏞 章筠 陳自厚 俞文葆 張鳳儀 劉青雲
	傅大鵬	
		李應奎
		杜芳 奉天蓋平知縣。 董承乾 乙丑進士。 馬德齡 副。 白桓 副。字建侯，壬子舉人。

謝嘉澍

沈際昌

祝楨　字友棠，刑部郎中。

劉汝寬　汝濟弟，改名承寬，字子厚，辛未進士。

官憙　副。

史映奎　副。福建知縣。

張廷棨　副。

楊濟　副。字叔通，壬子舉人。

二年壬子

靳　昂　字海瀾。
陳　善
馮時燠　渠子，改名秀瑩，字子哲，雲南恩安知縣。
鮑國駿
黃慶珍　己未進士。
俞　浩
張寶仁
邵湑名　字笏恩，浙江知

吴鴻藻
楊　濟　同知。
胡燕昌
王朝欽　堃子，字敬臣，教習知縣。
李元瑞
朱維新
胡保青
來景昌
周恩樹
馬錫恩
楊鴻典　鴻吉弟，字固山，湖北候補

朱遴之

趙家蘭
張汝嘉

李慶咸　改名衢亨，乙丑進士。
梁　敘　甘肅知縣。
白　桓　癸亥進士。

	五年乙卯
縣。 朱慶福 王懋官　改歸江蘇籍，字子蘭，教諭。 陶模 邵景名　字筱湄，無極教諭。 李英傑 李涵蕚　副。	邵承照　字香聽，山東知
道。 蘇安瀾　副。	張維藩 吳登
	游觀第　庚申進士。
	文慶祥　改名鐍，字喬生，
	劉祖栻 楊澤山
	張起元　副。字貞復，訓

府。
惲彥琦 光宸子，字心農，己未進士。
邵承謨 字顯之。
高雲祥
魯栻 字竹亭。
李涿蕚 副。
陳寶楨 副。

劉文海
任鳳翔
王朝銘 工部主事。
王兆蘭 字沁庭，庚申會試中式，壬戌補殿試。
軋懋楨
朱昌年
韓培元
韓慶麟 副。
俞斌 副。字華

徐端

湖南岳州知府。
韓皎如

字子通，丙辰進士。

導。

	八年戊午
	陳鑠　字仙舟，湖北知縣。 王慶鑾 孫雲　改名汝爲，字忠之，奉天知州署錦縣知縣。 孫汝霖　汝爲弟，字静山，庚申進士。
延，山西鹽大使。	查以新 胡鎔 陳壽昌　字松泉，戊辰進士。 俞致中　副。字子懋，壬戌舉人。
	紀星燦 祖文琳
	朱元奎　副。
	李大文　教習。 李慶沅　字芷生，壬戌進士。 李慶軒　副。州判。

	九年己未恩科
金儀斌 副。	阮福椿 字静軒，教諭。 李國琇 光涵子，字慧叔，乙丑進士。 孫燕詒 汝爲、汝霖弟，改名汝梅，字春山，庚辰進士。 劉汝濟
	俞僡 斌從子，字鏡人，宗學教習。 翟汝弼 字夢巖。
	劉嵃 高邑教諭。
	徐仲三 字步游，遼陽州知州。
	楊遇霖 字雨人，教諭。 李慶保 副。辛酉舉人。 茅紹祺 副。江蘇婁縣知縣。

	字子允。李光祺副。孫炳奎副。							
十一年辛酉	鈕玉庚字潤生，乙丑進士。吳兆柱 陳應禧副。乙亥舉人。孫循文副。	王錫光字磬宜，知縣。王寯先 劉東皐字經畬，河南知縣。		楊承治		吳承業副。字述之。郭爲霖副。字潤芝。		李慶保山西知縣。齊維昌副。字問卿，湖北宜城縣知縣。
同治元年壬戌恩科	陳光瑄解元，字仲敏。	楊聯桂字馨山，乙丑進		陳宗周	任植副。			王振聲字少農，甲戌進

宋兆麟　字菊人，刑部郎中。

孫汝明　汝爲、汝霖、汝梅弟，字朗山，戊辰進士。

丁家棟　字桂山。

陳慶昌　字鐵珊。

范啓堃

朱榮清　字子良，助教。

王　培

士。

陳振瀛　雲子，字紫蓬，癸亥進士。

劉嘉幹　字貞齋，癸亥進士。

李觀恆　字月峰，四川知縣。

陸象坤　字厚庵，安徽知縣。

許以保　字容生，

士。

白　楣　字子衡，四川内江知縣。

孫國恩　字芝庭，山西稷山知縣。

朱秉銓　副。癸酉舉人。

改名祖光，字心齋，辛未進士。

劉恩第
字敬亭，癸亥進士。

徐啟謨
啟文弟，字訏卿，山東知府。

李宗瀚
字慎卿。

李延齡
字夢九。

朱晟
改名寯

河南知縣。

夏輔成
雲煥子，字芝孫，江蘇泰興知縣。

俞致中
江西弋陽知縣。

瀛，字芷青，國子學録。

路青雲

字子政，戊辰進士。

張百穫

安徽知縣。

李鼎銘

字蟠萃，工部郎中。

徐樹琳

俞　焜

原籍浙江德清，恆澤孫，改

	三年甲子
名秉焜，字東生，知縣。 劉炳雲 字見五。 王欵齡 副。字友松，甲子舉人。 朱啟煦 副。澄孫，改名起鵬，己卯舉人。	王欵齡 改名鵬運，戊辰進士。 梁承綬
	沈文炘 趙炳光 字鳳占，知縣。
	楊逢春
	劉廷梧 教諭。 徐　京
	丁汝梅 福建知縣。

	科分未詳
字瑞卿，國子丞。邵承瀚 字子瀾，户部郎中。俞培元 字筱沅，甲戌進士。陳景禧 副。字雨田，湖南知縣。	
袁學灝 續懋子，字子庚。李毓樟 韓啟源 字崑珊。李文浩 字子樸，吉林學正。查丙旭 字耀庭，刑部員外郎。聞爾謙	宋作賓 字松友，乙丑進士。

六年丁卯

陳遇贊　四川夾江縣知縣。
馬如麟
中顯曾
丁紹芳　字友香，教習。
惲彥瑄　光宸子，彥琦弟，字少薇，內閣中書。
呂海寰　字鏡宇，兵部主事。
方學海

張恆春
黃啟寯
陳慶萱　字樹庭，辛未進士。
周保鑑　字介臣。
馮卓英
查恩綏　字蔭階，內閣侍讀。

武承文　副。

張耀元　字善齋，國子監博士。

李式曾

李慶良　字友鶴，同知。
王恩培　副。字子良，州判。
韓嵩齡　副。字玉生，州判。
李星文　副。字郁卿。

	九年庚午
原籍河南祥符，鉞子，字子敬，山東知縣。 李國彬 國琇弟，字文叔，刑部主事。	陳文騄 字仲英，甲戌進士。 劉鴻熙 字心質，辛未進士。 俞壽彭
	李璜綸 解元，字漁矸。 徐致愉 家杰子，字子怡，山東知縣。 史恩緒
	苑楓林 武承文 葉崙
	毛毓琛 字露芳，教諭。

字嵩屏，內閣協辨侍讀。

宋承麟　兆麟弟，字金波。

吳兆鑅　原籍江蘇鎮江。

董志敏　字捷軒，知縣。

譚祖昌　副。原籍廣東，內閣中書。

致謂子，字潤生，內閣中書。

黃汝劭

陳炳奎　丁丑進士。

戴維翰　字振之，河南汝甯府通判。

瞿廷韶　錫保子，字賡甫，湖北候補道。

邵松年　亨豫子，

	十二年癸酉
	范廣衡 字秉文，庚辰進士。 徐寶晉 原名敦智，字慧生。 逢炳垣 王鵬齡 鵬運弟，字子鶴，知縣。 周鳳標
字伯英，癸未進士。 温聯桂	陳燕昌 徐致靖 家杰子，字子靜，丙子進士。 劉家蔭 傳祺子，字荃蓀。 張堃 蔡厚貽 改名軒，字伯昂，福建知
	許芳蘭
	劉煦
	葉居棠 字子恭。
	馬馥亭 字桂芳。 謝開運 字芝雲，正定府訓導。
	李慶鏞 字棣笙，山西知縣。 朱秉銓 字子衡，浙江知縣。 梁可達 字雨樓。 郎芝 字子田。

字少蓮，欽天監博士。

縣。

王承志
改名寯頤，字樹棠，庚辰進士。

李維誠
字恂伯，丁丑進士。

王宗沂
字企曾。

吴笈
副。字子允，知縣。

王桂山
副。

光緒
元年乙亥
恩科

陳應禧 字心齋，庚辰進士。
陸慶衔 改名鳳衔，字丹起，覺羅學教習。
韓驤 改名鹿麐，字蓀農，國子學正。

余燦
朱鍾洛 字亮卿。
陳冕 原籍浙江，字冠生，癸未進士。
朱恩誥 字鳳樓。
張元溥 字雨田，刑部主事。
崔伸
周慶濂 字西垣，咸安宫教習。

陳常 字徽典。

蔡汝冀

張昭 字子明。

	二年丙子
	任夔 胡薇元 原籍浙江，字詩舲，丁丑進士。 傅培燮 原籍浙江，士奎曾孫，字芋函。 俞振鈞 趙臣翼
韓培禄 沈維誠 字笠山，丁丑進士。	吴麟生 翁立德 延緒子，字保先。
	魏振遠 李有年 副。
	張廷鈺 字藍田。 曹克祗 字贍橋。
	池鳳藻
	錢青 韓受卿 字寶臣，庚辰進士。

字燕孫，癸未進士。

李光耀

何瑞榮 字季蘅。

莊鍾濟

朱樑濟 材濟弟，字嵩生，兵部主事。

朱敏修 副。珪元孫，字錫卿。

五年己卯

邵承鈞 承照弟，字海航。
朱起鵬 字天衢。
朱材濟 字乙霖，甘肅合水縣知縣。
林長麐
劉　霖 子雨臣。

張　霖 字潤生，知縣。
馬　聰
王毓藻 字輔華，知縣。
袁學昌 績懋子，字幼庵，安徽知縣。
章　鼐
郭惟寅
盧慶雲 庚辰進士。

劉懋修

朱槐之

高毓嵩 字嶽生。
李本龢 字燕生。
徐炳文 字紫垣，癸未進士。

八年壬午

惲毓鼎 彥瑄子，字薇孫。
劉鼎玉
王光祖 字仲昭。
趙維鐸 字振卿，員外郎。
俞志賢 副。奎垣子，字希甫，刑部主事。
邢士奇 副。

胡應熙 字吉符。
吳聲律 字同甫，大理寺丞。
張永楨
桑　寯 春榮孫，字鑑舫，河南知縣。
顧　芳 芸弟，字泮香。

陳　琇

高潤生 副。
李友杶 副。

夏廷槐 字植三。
孫　温

恩賜		順治二年乙酉
盧品金 副。字融堂。	三河	胡應徵 丙戌進士。 劉瑞遠 字端伯，江南海州知州。 胡繼芳 丁亥會副。按：三河陳志云癸酉舉人，癸乃乙之譌。
	武清	曹文熷 廣東香山知縣。
	寶坻	
	甯河	
	昌平州	陸華疆 丙戌進士。
	順義	
	密雲	周樸 丙戌進士。
	懷柔	

科分未詳	三年丙戌	五年戊子
朱國俊 丙戌進士。		虞裕楫 兗州通判。
	劉作霖 湖廣鄖陽知府，祀名宦。	汪伯翔 己丑進士。
		曹瑞 副。
	蔣文燦 字爲章，揚州知府。 丁同益 丁亥進士。 周繩烈 丁亥進士。	
		鄭遹玄 己丑進士。

八年辛卯		趙之符 己亥進士。		張賓王 知縣。			趙珩 河南琪縣知縣。	
十一年甲午			王乃餘 知縣。詳先賢王采傳。			張鼎銓		
十四年丁酉		楊九有 丙辰進士。		劉從雅 副。廣東從化知縣。	錢中諧 原籍江南華亭，字宮聲，戊戌進士。		南宮第 湖廣桂東知縣。 高蹟 浙江鄞縣知縣。	
十七年庚子					杜恭著 副。字紫安。			

科分未詳			劉兆麟 辛丑進士。					
康熙元年癸卯		李煒 山東巡撫。						
五年丙午					葉振甲			
十一年壬子			楊雍 解元，己未進士。		裘克美 丙辰進士。			
十四年乙卯		田勃 清豐教諭。 趙珣 之符子，壬戌進士。	劉芷 南甯知縣。		孫纘功 壬戌進士。	張祖愷		

十六年丁巳		趙　璘 坿先賢趙之符傳。						
十七年戊午		王國綸 教諭。						
二十年辛酉		趙　瓚 璘弟。坿先賢趙之符傳。	李應甲 甯遠州學正。					
三十二年癸酉		趙　琮 瓚兄，字右蒼，癸未進士。 黃振國 己丑進士。			白爾德 吳廷標			

三十五年丙子		李廷秀	張英俊		王元蘅	羊士魁		
三十八年己卯		李煇 煇弟。						
四十一年壬午		諸葛銘 丙戌進士。趙方觀 珣子。坿先賢趙之符傳。	劉嵋 芮復傳 己丑進士。芮復俶 副。乙酉舉人。					
四十四年乙酉			杜棫 中書。芮復俶 知縣。					

四十七年戊子		劉甫生 己丑進士。 劉　敬 趙方謙 瓚子，廣東翁源知縣。	芮而育		楊　桐 字時卿，新城教諭。			
五十年辛卯		趙　栻	皮明誠		孫志啟 教諭。			
五十二年癸巳		王夔龍 臨潁知縣。 趙　晟 癸巳進士。						

科分未詳			劉嵩齡 癸巳進士。				
五十三年甲午		趙雲柱	王石柱		郎大乾 詳先賢傳。		杜貞生
五十六年丁酉		李熟	劉煦				
五十九年庚子		曹涵 字奕汪，辛丑進士。	王嘉賓 解元，岐山知縣。 吳璉 副。				
科分未詳		劉榮貴 山西長樂知縣。					

雍正元年癸卯		諸葛永齡　癸丑進士。 趙晃　字朗存，甲辰進士。	劉蘄　泰興知縣。 陳鶴鳴　醴陵知縣。 吳正　副。	吳璉　副。字商珍，贊皇教諭。	陳浩　甲辰進士。			杜師
二年甲辰			葉時汭　洵陽知縣。	陳實穎　江西鄱陽知縣。 吳正　副。璉弟，字席庵，高陽教諭。				

四年丙午	李承元副。	趙　晶知縣。	朱霖億丙辰進士。 朱　寅				王清標	
七年己酉		趙　昆晶兄。		談嘉修湖北大冶縣知縣。	張　菊			
十年壬子			單碩膚 劉毓道 芮永祺壬戌進士。 劉　翥副。青浦縣丞。	楊　鈖懷安教諭。 劉毓珍癸丑進士。 張秉仁正定府教。				

十三年乙卯		曹寯		劉毓恂 附毓珍傳。 孫述				
乾隆元年丙辰恩科		張輝斗 知縣。 曹振熹 知縣。	芮永成 郝作舟 副。	劉守成 丁巳進士。	周洵 丁巳進士。			
三年戊午		劉坰	馬式端 陳翰					
六年辛酉	楊玉麟 武昌知縣。 董長齡 副。弋陽縣丞。	高僖 副。	單鑑 壬戌進士。 王永芳 壬申進士。					

	九年甲子	科分未詳	十二年丁卯
	田彬 湖南靖州知州。 沙士熾 奉天學正。 曹魁禄		
方澄	單鐸 字振斯，乙丑進士。 王璘 副。 張仁三 副。		
	崔鶴庚 廉德薰 陝西定邊知縣。 劉毓琪 奉天義州學正。		崔正音 甲戌進士。 談謐
	張景載 戊辰進士。	俞成 乙丑進士。	高坤 副。字起蛟，壬申舉人。

十五年庚午		諸葛檑 永齡子，晉州學正。	陳景新 芮振宗 壬辰進士。	劉毓珂 副。江西甯都州判。				
十七年壬申恩科三月鄉試			劉同敬	談清 甯津教諭。 劉灼 江南宿州知州。 劉潛 江甯北捕通判。	高坤 廣東順德知縣。			
科分未詳					李國麟 壬申進士。		王雲鵲 本姓華，壬申進士。	

十八年癸酉			芮復健 王超					
科分未詳					王本蟠 甲戌進士。		王大經 甲戌進士。	
二十一年丙子		趙宗嘏 副。甲午舉人。	芮其相 王煥章	崔開第 副。邢臺訓導。				
二十四年己卯			馬思誠 副。	劉人睿 庚辰進士。	王家賓 字梅岑，癸未進士。 王沛獻 庚辰進士。			
二十五年庚辰		諸葛栘	侯執應	崔鳳集	王家幹			

		鹽山教諭。	王嵩桂 字坦中，辛巳明通進士。 芮熊占 副。字飛庵。	解元。	字體貞，丙戌進士。			
科分未詳			芮永肩 字鐵崖，庚辰進士。		陳本敬 浩子，字仲恩，庚辰進士。			
二十七年壬午		諸葛承年 副。	趙增 王世勳 王旭普 董覲光 字牧亭。	劉立銓 安徽鳳臺知縣。 談嘉勳 奉天甯海教諭。				

				岳履泰 四川太平知縣。				
三十年乙酉				廉永年 山西潞城知縣。	王家慶 字積之，廣東羅定州判。		王聘 復姓謝，丙戌進士。	
三十三年戊子			劉廷獻 馬思聖 丁未進士。	張中行 廉洙 副。				
科分未詳					陳本忠 己丑進士。			
三十五年庚寅		劉靖 副。 李奇燦		廉洙 河南臨潁知縣。				

		副。		鄭國棟 江西太和知縣。杜安詩 山西平陽知府。張近光			
三十六年辛卯		王鑄 陝西懷遠知縣。劉士鋒 副。河南懷甯縣丞。	王旭暢 陳光紹 劉善經	馬倓			
三十九年甲午		劉士錀 趙崇蝦 新安訓導。	芮永堂 趙俊 俊一作倓。				

			楊國麟 戊戌進士。					
四十二年 丁酉		諸葛光庭 槿子，故城教諭。	王振榮 詳先賢傳。 馬爲國 王旭載 副。	馬儀卿 馮　鐸	王之屏 字憲侯，山西河津知縣。 徐九德 奉天教諭。			
四十三年 戊戌		劉永格						
四十四年 己亥		諸葛光緒 槿子，陝西洋縣知縣。		于復愍 山西平遥知縣。 廉永坊 江西安仁知縣。				

		曹廷琛 副。盧龍教諭。		廉　儒				
欽賜				張廣基 都察院都事。				
四十五年庚子		王　鎮 蘇　彩 磁州學正。	芮熊占 副。字飛庵。	翟廷霖 蘇　潛 滄州學正。				
四十八年癸卯		侯元亮	王敏樹 山西太原府同知。 王振緒	廉　垣 李實好 山西太平知縣。				
五十一年丙午		黃　庚 山西臨縣知縣。	王旭朗	崔人槐 唐縣教諭。	楊　顥 字幼梁，吉林學			

	五十三年戊申
	沙士焜 陳組
	李光先字東亭，工部郎中，江西贛州知府。 芮際隆 吳端明 劉茂勳 王琮 蔡文澄副。 陸司鎔副。
崔維允山西霍州知州。	于興謹 高鎮字玉安，員外郎。 李旼撫甯教諭。 崔光弼戊辰進士。
正。	劉景麟字軼三，河間訓導。 朱緣副。字允升，教諭。

五十四年己酉			王鈴秀 劉建勳 張松齡		白崇典副。字慎五，州判。 廉永奎副。山東高唐州判。			
五十七年壬子			王墀字步玉，戊辰進士。 芮汝登 陳司鎔 芮其澳副。	常潤容城教諭。 李慶年			邵自鈞知縣。	

五十九年甲寅		李春榮浙江景甯知縣。	杜衍濂 王繼成 王長齡字與九，國子監丞。 王殊渥詳先賢傳。					
六十年乙卯			王殊澤 李光庭字樸園，黃州知府。 齊廷芳 劉志惓己未進士。	翟際平副。				

嘉慶三年戊午	科分未詳
陳鈊 開州學正。 曹允芳 蔚州學正。 董殿型 元慶子。 陳策 劉虎文 安徽全椒知縣。 侯采 時際和 副。	
王家駿 劉耆德 芮汝翌	
	邵自錦 己未進士。

五年庚申			陳德秀 袁曾榘 吳曾孝 芮其哲 副。丁卯舉人。	張曾蕚 衡水教諭。				
六年辛酉		趙家藩	方振德 王　榮 遷安教諭。					
科分未詳							邵自鏻 乙丑進士。	
九年甲子		趙　廉	李　珠 清河教諭。 芮汝明					

			副。					
欽賜		諸葛樅 乙丑欽賜進士。						
十二年丁卯		劉文著 山東臨清州判。	芮其哲 張湛	李澡 沙河教諭。 談謹				
十三年戊辰		諸葛光泰 王三同 解元。 王士芳 董元度 福建關前江場大使。	李光里 己巳進士。 王思義 己卯進士。	崔珮 崔梧			曹倬雲 教諭。	

十五年庚午		王致和副。撫甯教諭。	齊廷瑜 王起 芮昌副。	杜璋趙州學正。 張肇元副。陝蒲城知縣。	劉蔭字召棠。			
十八年癸酉			吳達綱 李藩字樹屏，甲戌進士。	廉以誠副。字葵午。 廉沂副。青縣教諭。	何之俊 徐珍副。字古韵，福建閩清知縣。			
二十一年丙子		張志遂江蘇宿遷知縣。 王世紱己卯進	蔣肇煦 方濤庚辰進士。 王震	崔一士字介人，阜城教諭。 許濬				

	二十三年戊寅
士。劉景元	劉洎 知縣。李國垣 廣昌教諭。
字春航，癸未進士。李葆 李藻 副。乙酉舉人。	李著 高濬璜 高繼珩 詳先賢傳。李菡 壬午進士。李蒓 藩菡弟，
國子助教。楊其志 安肅教諭。	王錫琨 字紹溪，庚辰進士。

			字新塘，癸未進士。王憲猷副。					
二十四年己卯		王祚泰 李果元 劉濬元	楊佶 單維模	靳輝曾雞澤教諭。				
道光元年辛巳恩科		沙廣增四川儀隴知縣。 陳如岡副。	劉廷彥 袁鳳鳴 陳蘭圃 王鐵壽副。	李步瀛 廉如銛	王萓齡副。字北堂，孝廉方正，柏鄉教諭。			
科分未詳		王光宇壬午進士。						

二年壬午

陳作柏 南樂教諭。 諸葛應龍 副。 李慶鰲 副。字岱瞻。

方淇 李莊 藩菡莼弟，字翼齋，戊戌進士。

邵宗愷 談其儀

馮煜 副。

五年乙酉

郝澍

陳際昌 江蘇山陽縣丞。 馬玉麟 丙戌進士。

李藻 丙申進士。 王璋 李蕚 丙戌進士。 鄭鳳鳴

鄭閲 解元，甯晉縣教諭。 張登書 陝西華陰知縣。 張文誥

馮煜

趙景辰

丙申進士。

字紫堂，江西大庾知縣。
邵宗渭
字秦川，癸巳進士。
邵宗文
饒陽教諭。
戴傳洙
原籍浙江烏程，改名襄清，字堯川，磁州學正。
廉以誠
副。教諭。

八年戊子			李蓀 馬大鈞 字陶軒，廣西平南知縣。	楊檀 副。深澤訓導。			沈貽芳	
十一年辛卯恩科		陳如岡 賈宗洙	王大濟 蘇巖 方作霖 陳從孟 山西知縣。 李光璧 字星垣，國子典籍。 王貢祥 副。字亦山。					

	十二年壬辰補正科	十四年甲午
	曹貢齡 劉樹桐 諸葛應龍 副。 董策 副。	陳智薌
王琅 副。	王熾昌 王祖培 字子厚，庚子進士。 王恭	李芷 尹國俊 張慶元
	廉如鈺 知縣。 李玉圃 字意園，副。四川前藏同知。 廉隅 副。	廉兆綸 改名師敏，字琴舫，庚子進士。 陳鴻翊
		金兆基 副。四川知縣。

				字仲鸞，戊戌進士。				
十五年乙未恩科		杜雲漢 四川儀隴知縣。	單維楷					
十七年丁酉		徐振元 知縣。	陳德濬 嚴芬 李植 江西萬年縣知縣。	廉驥元				
十九年己亥		周濂	徐天禄 李薌 藩菡蒓莊弟，字小亭，山西鳳臺知	孫廷彦 字楫英，癸丑進士。 王承澤 副。錫琨			甯琦	

	二十年庚子恩科
	沙士煒 副。
縣，贈知府。 李德增 副。癸卯舉人。 芮雲 副。 王琅 再副。	李如箎 字怡亭。 徐冲 副。
从子，字芙江。 張祖隲 副。	
	沈啟昌 原籍宛平，字希文。 段錫林 字賓筵，內閣中書。

二十三年 癸卯	欽賜
郝瀛 郝俊 副。	
高鈖 陳淵 王繼庭 庚戌進士。	
李德增 藩子，字小屏，丁未進士。 王泉 字漁莊，改名淞，癸丑進士。 陳函 副。字純齋。	
邵之良 楊檀 副。深澤教諭。	王承泗 字心齋，山西代州知州。 王承瀚 錫琨从

				子，字清浦，山西知州。				
二十四年甲辰	郝植槐 字藝三。郝浚 副。字翊齋。	劉玉林 字植藍，鐵嶺教諭。丁浚 原籍浙江山陰，字明之，廣東新興知縣。	王金臺 字鈞亭。楊景孟 字嶧亭，丙辰進士。王迎壽 長春廳訓導。	高靜 詳先賢傳。			謝棠 字小林。	
二十六年丙午		董世延 原名濬源，字仲默，刑部郎中。	蔡樹模 王峻 方學蘇 濤子，字仲海，丁	李嗣庚 副。改名炳章，字衡圃，威縣訓導。			沈洪 改名念本。章甫 副。	

	二十九年己酉
	郝植棻
徐振瀛 癸丑進士。 侯世穀 副。 董策 副。	陳祥齡 王魯廷 陝西三原知縣。 田禮實
未會試中式，己未補殿試。 張丕烈 己未進士。	李德坊 河南濬縣知縣。 方學伊 字莘卿，乙丑進士。 馬聯芳 字伯華。 芮斯振 王靜壽
	李廷霖 字潤生，員外郎。

	咸豐 元年辛亥 恩科	欽賜
	曹星焕 河南鄢城知縣。 王兆麟	馬文濟
副。 邵承照 副。改歸大興籍，壬子舉人。	王濂 王其慎 字敬齋，己未進士。 王其恆 字月峯。 慶齡 知縣。	
	許善昌 字葆卿，奉天圖昌廳訓導。 邵宗龍 字松亭，奉天甯古塔學正。 談桐林 副。字靄雲。	
任式坊 副。壬子舉人。		

二年壬子

郝植恭 山東知府。

路金聲 甲戌進士。

蕭敏文

陳源灝 字潤軒，鳳皇廳教諭。

孫棣 西甯縣教諭。

邵宗泰

邵之蕙 山西甯武知縣。

任式坊 癸丑進士。

五年乙卯

杜潤田

陳以謙

許楨

李文壇

周策 字勵庵，呼蘭廳教諭。

王慶祺 庚申進士。

王際熙

王煦健

張椿蔭 字藹庭，昌黎教諭。

于福澤 字蔭先，威縣訓導。

廉壎 字賡伯，知縣。

蔣岫

鍾鳳翔

趙士英 四川羅江知縣。

茹錦 字繡章。

			字筮乾。 芮雲 徐冲 字鶴橋。 高銘鼎 芮家純 副。	談松林 副。字曉峯，辛酉舉人。				
八年戊午		沈振鈞 字右衡，河南光山知縣。 蕭國耀 路逵	王奪魁 字英甫。 吳恩源 副。字雙泉。 李璠 副。字伯璵，己未進士。				國文 甘肅鞏昌知府。	
九年己未	張錫恆	陳希恕	傅墀	張訓	劉鍾麟			

張瀛 字彤階。知縣。癸亥進士。

劉石麟

周璧 字子方，河南澠池知縣。

王度

李秦 字鑑塘，乙丑進士。

王鳴珂 字仲玉，國子博士，吉林吉林府知府。

李璠 乙丑進士。

	十一年辛酉
	郝浩
李逢源如篪子，字蓉泉。王慶禔庚辰進士。鄭鳳誥副。王鳴璋副。	吳恩熾字午臣。張翼清字子修。張兆慶 鄭聚奎字聯五。
	李敬亭解元，字伯華，吉林伯都訥教諭。張琨字琢如，河南知
	傅雍言

	同治 元年壬戌 恩科
方學周 傅金鑅 李桂聯　乙丑進士。	楊大章　延慶鄉訓導。 王鍾林　字綸閣。 王寶義　字紫瀾，内閣中書。 李德垣
縣。 廉　方　字笏卿。 談松林　甲戌進士。 張汝埭　字石莊。	張廷良　字芸浦，江蘇知縣。 劉震東　肅甯訓導。 高賡恩　字静子，字熙廷，丙

菡子，字星叔，兵部主事。

李夢松 字琴濤，國子學正。

郝　鈺

宗式坊 字錦如，訓導。

張丕弼 字雲舫，癸未進士。

王廷元 奪魁子，字榮舫。

吴恩沐

子進士。

戴傳澧 副。原籍浙江烏程，字蘭溪，山西廣靈知縣。

			字雨林。何浚泉 副。字鏡波，工部司務。					
三年甲子		張鵬翼 徐振鏞 陳鼎元	張丕績 字次瑄，戊辰進士。 李家芳 副。字仲蘭，國子學正。	李誠蔚 山西知縣。 苗如蘭 字仙洲，湖北長樂知縣。	劉治平 字心芝，戊辰進士。			
六年丁卯		張鼎勳 副。	馬存樸 字育才，庚辰進士。 李　云	趙輝棣 字蕚芳，辛未進士。 劉沛然				

九年庚午	
王　涵	
徐振廷 苗迪元	
徐　浩 字養吾，甲戌進士。 李　璟	光璧子， 字子雲， 開原訓導。 胡　勝 字掟甫， 甲戌進士。 郝觀光 字幼霖， 國子學正。 李惠和
史從周 字郁文。	字潤生， 庚辰進 士。
李庭馥	

十二年癸酉	
郝承祜 字篤卿。	
劉思誠 字九齋，山東知縣。	
李　浚 字子深，光璧子，癸未進	字小宋。 王壽山 何浚池 王鍾儁 山東知縣。 王熙昌 李　敬 楊景崧 張祖甄 副。丕烈子，字鼐臣，内閣中書。
馬德光 字心存，知縣。 董雲標	
孫紹庭 字蔭墀。	

	科分未詳	光緒元年乙亥恩科
		郝植垣
路迪 字吉人。	張勒勳 副。	陳鍾濬 蕭世濂 張汝熙 字畹農，丙子進士。
士。 李慕 户部主事。 李育秀 副。字一峯。 孫棠 副。		張瑞芳 陳源瀞 字麟洲，癸未進士。
字子莊，丁丑進士。		張文灝 字熙宇。
		宗晉源 字振裘。

二年丙子	侯維垣	孫國梁　副。	李桂一　工部主事。 馬延慶　聯芳子，字子餘。 李瑗　副。					
五年己卯	劉式游 田景運 郝文駱　訓導。	周以敭　副。	李允　字子恭。 王毓祥 周汝震　字秀東。	戴彬元　原籍浙江，襄清子，字愚卿，庚辰進士。 任嘉峨　字孝庭。 蘇夢蘭　字國香。				

	科分未詳	八年壬午	科分未詳
		徐紹康 癸未進士。 李桂芳 劉相宜 副。	
		楊椿齡 張瑞芬 李重熙 字春臺。 王　楫	
王得春 張文江 副。		廉　蔭 李汝弼 副。字右墀。	
	徐　京 庚辰進士。	朱　蕡 字茂邠，國子助教。	
		陳之驤	高　溥 壬午知縣。 鄭其心 楊聲遠

		順治 二年乙酉
	涿	
	房山	
	霸	林贊春 浙江雲和知縣。 崔之瑛 壬辰進士。 劉瀾 丙戌進士。
	文安	陳協 字念蓋，丙戌進士。 王胤祚 字振公，丙戌進士。
	大城	劉楗 丙戌進士。 李翼鵬
	保定	劉克家 丙戌進士。
解元，漕運總督。 高雲翰 廣西布政使。	薊	路騰 山西副使。 林起龍 丙戌進士。
	平谷	

科分未詳			樊纘前 丙戌進士。		薛元瑞 丙戌進士。			
三年丙戌			郝惟訥 丁亥進士。 郝惟謙 傑子，御史，祀鄉賢。 吳光印 山西浦縣知縣。	萬方慶 字星羅，丁亥進士。	王建中 丁亥進士。			
五年戊子	楊陛 □□兵備道。 顧敞 □□雲和		高之蕙 浙江上虞知縣。	高光夔 字得一。 紀元 字李愷，乙未進	王瀚		盧裕楫 山東兗州府通判。	

	八年辛卯
知縣。按：涿州吳志載劉芳躅，據畿輔唐志入宛平。	
	郝惟謨　鴻猷孫，癸丑進士。 郝惟訓　鴻猷孫，壬辰進士。
士。 賀士珍　字錫朋，廣西寶縣知縣。	譚弘憲　字慎白，壬辰進士。 王　崅　字濬涵，教諭。 毛維泰　字瞻岳，廣西藤縣知縣。
	蔡　廸 戴君錫 蔡師襄

十一年甲午	十四年丁酉
馮源濟 乙未進士。	
井廞 字伯輿，辛丑進士。 井在 字真陽，己亥進士。 王埏 副。胤祚子，貴州遵義知府。	劉馨聞 字蘭皋，趙州學正。 紀星
馬璣	王公任 己亥進士。
馮莊 戊戌進士。	
	王燦 戊戌進士。

				字爾庚，辛丑進士。 邢可受　副。 李其旌　副。內邱教諭。				
十七年庚子	周釗　庚戌進士。			蔡芹香　字泗蘩，教諭。	李淑秀			
科分未詳			崔應鳳　副。祀鄉賢。					
康熙元年癸卯				邵秉忠　字憲思，庚戌進士。				

五年丙午	八年己酉
張報魁 士雅從子，丁未進士。	張永弼 副。新河教諭。
何之漢 字章之。 李起 字如蒼，庚戌進士。 紀愈 字孟起，丁未進士。 樊翰 字墨君。	劉灝 字子固，修仁知縣。 井鎡 字萃崖，
吴煜	
楊攀桂	

				景州學正。				
十一年壬子				樊紹作 字茂先，辛未進士。 井睦 字方思，癸丑進士。				
十四年乙卯	侯謹度			王坦 字仲平，中書舍人。 王允澤 字惠侯，戊辰進士。				

科分未詳					馬璣 己亥進士。			
十七年戊午	馮源淇		郝士錞 己未進士。	井鉞 字幼輿，武邑教諭。	李仔			
科分未詳	龔宜生 己未進士。			李六成 己未進士。				
二十年辛酉		孫謨	郝士鏞 保定府教授。 郝士鈞 字子權，戊辰進士。	范矩 字方至。				

	二十三年甲子
	李如渤
張永曙 保安州學正。	
	胡滂 字箕瀾，中書。 劉肇崑 字元啟，辛未進士。 井焜 詳先賢傳。 紀遴宜 字公遴，甲戌進士。 魏四易
	張嵩齡 李相

				副。甯化知縣。				
二十六年丁卯	李庚啟		王允捷 何桂蕃字松友，丁丑進士。	王涵字方海，庚辰進士。按：文安楊志有何桂蕃，據畿輔唐志入霸州。			崔顏副。	
科分未詳						張復字來庵，戊辰進士。		
二十九年庚午			崔恂詳先賢傳。	杜呈熠字映辰。			趙璿山西忻州知州。	

				陳儀 字子翽，乙未進士。				
三十二年 癸酉	熊葦 字澄山，甲戌進士。		江琬 副。 牛宏道 副。	高志紳 光夔子，字菊存，癸未進士。				
三十五年 丙子				陳依 字繡斧。 邢偉 字濟庵。				
三十八年 己卯		王澂	崔藻 副。乙酉舉人。	黃宏深 字孟涵。 黃宏湛 深弟，字潞河。	王命銓			

				李灼 字賁然，庚辰進士。陳僧 依弟，字戒士。				
四十一年壬午				邢倓 偉弟，字子安。		馮瀚		
四十四年乙酉	董俊 字千若，癸巳進士。周京洛		郝雯 宣化教諭。崔蒞 癸巳進士。崔藻	紀遲宜 字廷亮，景州學正。韓銓 丁未進士。				

四十七年戊子	朱一鳳 己丑進士。	徐兆麟	崔宣 戊戌進士。	樊貞順 陳佐 河南孟津知縣。	雷標 賈汝霖			
科分未詳				樊貞 己丑進士。	雷淳 己丑進士。			
五十年辛卯			崔燦 劉俊明 崔楙 壬辰進士。 江琬 山西平順知縣。 郝霆 甲辰進					

			士。郝震 江南興化知縣。樊宗文 江西新淦知縣。邱何源					
五十二年癸巳	邵秉元			紀逵宜 癸卯進士。陳儼	李最			
五十三年甲午			孫公喬 李如瑶 孟琇 福建興化知府，重	紀邁宜 字偲亭，山東泰安州知州。紀宣猷 己未進	劉顯祚 祚一作漢。	馮鉝	趙作霖 河南偃師知縣。	

			宴鹿鳴。張涵　郝士鋐乙未進士。	士。繳捷　陳良玿山西芮城知縣。紀逯宜　薛揚				
五十六年丁酉	趙文煜教諭。		孟瑛丙戌進士。	陳緘　段廸吉　井錤　井淳　劉溥字子泉，浙江江山知縣。	劉珏	張傑　姜順龍字見田，御史，四川按察使。		

科分未詳				劉丕謨 字子定，戊戌進士。				
五十九年庚子	彭　俊	孫用楨	崔　寅 崔　蕖 高爾德	李可大	李文華 辛丑進士。			
雍正元年癸卯			劉　蓋 丁未進士。 崔光弼 崔雲驌 副。山西平定州判。	井其頴 山東兗州府同知。 陳有年 中書科中書。 劉　灝 廣西修仁縣知縣。 王聲鑾	鄧鳳曜			

	二年甲辰
	崔棨　定州學正。
紀咸　遴宣子，安徽旌德知縣。 高令樹 陳偲　河南新野知縣。 張恕　廣東石城知縣。 劉晫 陳夔友	李勳 陳玉友　庚戌進士。
	樊培

四年丙午	
崔雲駿 李之琳	
陳聞友	井瀚 刑部浙江司郎中。 王鴻勳 陳龍友 江南宣城縣知縣。 陳鳳友 字鶴汀，甲辰進士。 紀邁宜 字碩亭，湖南岳常澧道。
李文藻 劉模	

七年己酉			蔡　瑄	井其洵 庚戌進士。 牛景碩 劉　璨 李遵王 馬維新 冀州學正。	李復起 劉　簡			
十年壬子	包大鵬 知縣。		張　煒 崔雲騊 劉鵬搏		吳國振 劉　標 癸丑進士。		崔元琮 刁　鎔 張國鈞	
十二年乙卯				丁　恕 蔡公悦 故城教諭。	劉　琮 劉　燦			

	乾隆元年丙辰恩科	科分未詳	三年戊午
			盧秉彝學正。
	崔雲騬山東卽墨知縣。 郝震		郝本茂山東費縣知縣。
王聲靈 李堃 黃復堅	常廷楷	紀虛中丁巳進士。	邵維樸 紀晉字公瞻，壬戌進士。 王述曾
	劉榮		

科分未詳	
董朱英己未進士。	董淑英甘肅甯翔知縣。 盧廷桂赤城教諭。 紀曾符山西陽高縣知縣。 紀承曾 紀綿曾 劉淳 紀珊

六年辛酉	朱昕副。			沈觀 紀履中 張毓材 沈雯乙丑進士。 陳霆廣西武宣知縣。	劉瑀 王杜副。		王純山東觀城知縣。	
九年甲子				王漪 紀復	劉琡 王焯			
十二年丁卯	劉湘戊辰進士。 劉洵戊辰進士。				王界			

	十五年庚午	十七年壬申恩科三月試	十八年癸酉
馮玲 □□知縣。		朱華	王庶
			何玉龍 郝雰 獲鹿教諭。
	陳麟友		紀淑曾 詳先賢傳。 王鈞 王鋆 鈞弟。
		王綋	
		金肇文	張曦 王憲 王廷相 白之綸 安州教諭。 張暻 副。樂亭教諭。

二十一年丙子	胡嘉栗				紀大成			
科分未詳				紀澄中 丁丑進士。				
二十四年己卯	張玉絨 山西嵐縣知縣。 趙鳳城				薛覲上 薛士藩			
二十五年庚辰恩科	馮埥 張存性 癸未進士。			王聲呂 陳霨 廣東萬州知州。 陳熙 灤州學正。	王鼎			

科分未詳				紀曾蔭辛巳進士。				
二十七年壬午	包鼎泰		崔象豫乾州知州。	賀亭　何兆鯨唐山教諭。				
三十年乙酉	馮立中			紀啟曾	王柏副。			
三十三年戊子			王士錦					
三十五年庚寅恩科			王元白	紀曾藻詳先賢傳。	馬照藜			

三十九年甲午	戴聯奎解元，乙未進士。		高元任安徽六安州同。					
科分未詳		丁兆隆乙未進士。						
四十二年丁酉	楊振綱副。庚子舉人。							
四十四年己亥恩科	張玉田浙江海甯知州。 王樑詳僑寓傳。			王繼曾 葛廷燦山西潞安府同知。 王紹緒清豐教諭。				

四十五年庚子	楊振綱 詳方技。			紀誠延 福建崇安縣知縣。	王步雲 副。			
四十八年癸卯	徐國初 山西蒲縣知縣。							
四十九年甲辰			王世鑛					
五十一年丙午	楊燕緒 詳先賢傳。 張琇 玉田訓導。		崔象山 乙卯會試中式，己未補殿試。 孟繼杰 晉州學正。	陳雲 豐潤教諭。 紀昇平 河南閿鄉縣知縣。	呂筮元			

五十三年戊申	五十四年己酉恩科	科分未詳
	李熉己未進士。張玉綸 茹濤玉田教諭。馮立功副。	王謨庚戌進士。
何嘉紹 樊文謨 紀瑄武邑教諭。	盧承坦 張作礪 葛方蕚 張鼎 紀誠徵廣西天河縣知縣。	
	蕭文湛 劉青甸	
王紹岐安肅教諭。蔣本德副。平山教諭。		

五十七年壬子	五十九年甲寅恩科
	張汝詢 辛酉進士。 盧坤 己未進士。 孫德熹 藁城教諭。 馮立卓 山東知縣。
丁兆泰 副。唐縣教諭。	
	崔廷棟 懷來教諭。 王治成 山西平陸知縣。
陳龠 沙河教諭。 陳震 安州學正。	
王鍾昌	

六十年乙卯	恩賜	嘉慶三年戊午
		張汝説 湖南永臨知縣。
吴邦慶 丙辰進士。 馬淩雲 己巳進士。		張鍾奇 海城教諭。 陳官靖 崔顯宗 戊辰進士。 徐文陵 山東青城知縣。
	陳[illegible]	紀淦 字秋水，山東萊蕪知縣。 王苞林 王家駒 杜登雲 井時烜 甯津訓導。
徐桂棠		李大椿
		張士俊 副。 張日敬 副。 蔣寶 副。

			崔耀宗 副。	董鑑 灤州學正。				
恩賜			王克振 副。					
五年庚申恩科	周相 安徽和州州同。				王兌			
恩賜			王克振 辛酉檢討。					
六年辛酉	孫德恆 博野教諭。 王燾 副。邢臺教諭。		周建和 吳國瑞					

九年甲子	茹國樺南樂教諭。		崔偲戊辰進士。 張鳴梧副。	葛仰萱 邢麟紱	劉毓瑶			
十二年丁卯	陳崙			紀昌期湖北武昌同知。 紀瑜 陳承緒 靳澄				
十三年戊辰恩科	楊翼振綱子。 胡少起無極教諭。 張立廉		郝金山廣西天保知縣。	王秋元山東汶上知縣。 陳蘊	吴敦化 薛孟昜 劉天衢		李潤己巳進士。	

	副。金景熙副。						婁思聖	
十五年庚午	楊鋏字蘭皋。王丹書開原訓導。		崔廷詔辛未進士。					
十八年癸酉	姚用書署山西大同知府。徐琳揀選知縣。譚成業 譚成信			王蔭林	梁可任副。王心一副。			

	蔚州學正。全景熙 宣化教諭。楊銜 副。字叔冰，辛卯舉人。							
二十一年丙子	張樹德 丙申進士。			陳鏊 貴州定番州知州。				
二十三年戊寅恩科	高南金 楊鈺 甘肅泰州知州。楊際運 河南羅山		劉元梁 唐山教諭。崔樹基 字福門，廣西岑西					

	知縣。		知縣。					
二十四年己卯				黃燦 曲陽教諭。			高克均 劉照藜	
道光九年辛巳恩科	全景炬 蠡縣教諭。 張汝詮 盧龍教諭。 康茂敷 副。四川長甯知縣。			陳士基 沈熊 淶水教諭。 康懋敷 副。詳先賢傳。	王廷棻		王振鍾 新城教諭。	
二年壬午	王爲星 櫟子，詳僑寓傳。		崔倬 廣西知縣。		王滌源 解元。			

五年乙酉	周演洛 副。				張鴻璞 王召通 副。			
八年戊子	逄瀚 截取知縣。 高如漢 副。	王言 蘇裕昆 宋珽 副。		紀鎬	王召平 段紹聞 劉煦			
十一年辛卯恩科	朱憲曾 一鳳曾孫，字鹿山，癸巳進士。 張翼軫 蠡縣教諭。 楊銜		崔侗 壬辰進士。	紀鎧	王召卿			

	乙未進士。							
十二年壬辰補正科				陳錕 庚子進士。 紀昌第 陳青雲 王奉曾 陳鈖 賀莊 乙巳進士。	劉祝慶 劉桂党 王廷英 副。 羅堉 副。			
十四年甲午	周雲翥 原名禮，丁未進士。 王敬先				王檜樾 崔周山		高成均	

十五年乙未恩科	王萬齡 乙巳進士。				王植桐 劉祝永 王召通			
十七年丁酉	謝鳳山 副。壬子舉人。 楊泰運 副。乙亥進士。 管德昌 副。 沈亨 副。湖北天門知縣。		張震 天津教諭。	葛承惠 磁州學正。	王玉相 壬戌進士。			
十九年己亥豫行正科	任立誠 湖南知縣。		吳曾蔭 湖南道州知州。		王植枬 副。		李濬	

	楊泰運 知縣。 金景炆							
二十年庚子恩科	丁維壂 字肯堂。 蔡寶 原籍浙江山陰，字葆初，南樂教諭。		崔宜樾 偲子，字蔭長，南皮訓導。 王綖 字濂源。	王應台 字應三。 宋薌稷 字德馨，永年教諭。				
二十三年癸卯	陳文焜 教諭。 王允恆 山西河曲知縣。 朱鼎文		周京 江蘇沛縣知縣。		王廷錦 副。		魏崙 副。	賈友澄

二十四年甲辰恩科		邱秉哲 字仲明。		紀暘 字寅谷，癸丑進士。 王璐 秋元子，字佩之，湖北襄陽府知府。	劉開第 字鑾坡。 王廷錦 字尚褧。			
二十六年丙午			梁元瀚 四川知縣。		宋寶琨 宋嘉樹			
二十九年己酉	張理澄 癸亥進士。 沈亨 副。		吴棐彝 江蘇知縣。	井鍾丹 壬戌進士。 郭士俊 副。	王樹玉		王鎮	

咸豐元年辛亥恩科	趙以廉 蕭　珍				臧嵐峰		王　昕　字小巖，壬戌進士。	
二年壬子	謝鳳三 楊兆運　副。字桃溪，乙卯舉人。		崔　倜　學正。 周　訥		王廷蘭　副。			
五年乙卯	劉　騫　江蘇知縣。 楊兆運　丙辰進士。 姚官澄　山西朔州知州。			張省三	王召金		王晉之	

八年戊午	王高齡	呂廷翰	鄧烜 樊克仁副。	王振昌	石樹珠己未進士。 邢樹榛		于奉清副。
九年己未恩科	全士錡癸亥進士。 吴允中	常綺副。			王植桂 劉湗年字樹君，庚申進士。		張瀛洲教諭。
十一年辛酉				馬恩榮 張箴	呂式枚乙丑進士。 呂式榐字荔峯，癸亥進士。 劉元亨		

同治元年壬戌恩科	吴廷贊 訓導。 全奎 副。			馬霈 王錫命	王階平 張毓椿		周連元 山東濟陽知縣。 何其瑞 副。	
三年甲子			韓應祥	賀家駿 副。		田翼承 副。		
六年丁卯		王貽愷 副。	孟國屏 副。		王玉森 辛未進士。 王增翺 劉炤錡 副。		吴亨禮	
九年庚午	楊伸 兆運從子，字伯		王澤民 澤一作者。	張恩德 靳作霖 字雨辰。	宋相一			

	豪。		梁　枚	董汝觀字子賓，户部司務，同知。				
十二年癸酉		劉　彦副。	崔　侖字昆甫，甲戌進士。				葉桂林副。	
光緒元年乙亥	張奉先			張汝忻	張鴻藻副。			
二年丙子	王鋭新庚辰進士。 馮聲萬字賡虞，國子學			王叔培 王　鎬 王卿輔	張鴻藻 劉炤桂副。	柴樹楷字端卿。	張景江	

	大興	宛平	良鄉	固安	永清	東安	香河	通州
	正。							
五年己卯	解樹桂 周德至 金思誠 謝霖臯 副。		郝金策	蔡如梁 楊棻 高錦雲			張渭	
八年壬午							耿[illegible]	

拔貢表 優貢坿

國朝 前明拔貢無可考

	大興	宛平	良鄉	固安	永清	東安	香河	通州
順治元年甲申								王公擢 乙酉舉人。

								楊斐業 漷人，建平經歷。
二年乙酉				楊光稷				
五年戊子			顧鼎植 字象三，廣西南甯府通判。					韓禹甸 浙江烏程知縣。
十一年甲午			張之澄 丙午副。浙江分水知縣。					張文熿 山東利津知縣。
康熙十一年壬子		顧燦 字文昭。	卜峻超 壬戌進士。					康政 隆平教諭。
二十五年丙寅								王溥

三十七年戊寅								翁　茂
四十四年乙酉				劉　瑽				
雍正十三年乙卯								馬文煇
乾隆六年辛酉	邵自達 本科舉人。							王嶽申 州判。
十八年癸酉		袁愛盧 州判。						崔　熿 州判。
三十年乙酉		潘紹淳 伊琪子，宜都教諭。						

		張志楓 庚寅副。辛卯舉人。						
四十二年丁酉				卜大鶴 滑縣教諭。	司檠			魏鈞 丙午舉人。
五十四年己酉	朱澄 錫彤子，甲寅舉人。							白鎔 己酉舉人。
科分未詳	黃景緯 登賢子。詳先賢傳。							
嘉慶六年辛酉	朱澍 廣東州判。			唐玉泉 任縣教諭。				陳錦堂 丁卯舉人。

十八年癸酉	馮沆 字秋槎，滿城教諭。			劉棨黼	朱舒錦			白詠卿
道光五年乙酉		顧駿 乙未舉人。		高瑞和	朱賜錦			雷學汾 教習。
科分未詳	包承培 戊子舉人。				朱汝愉 優。戊午舉人。			
十一年辛卯				劉甡 優。癸卯舉人。				
十七年丁酉	徐宗敬 唐徵鑅			王錫齡				李翰文 字墨緣，江蘇長洲知縣。

二十九年己酉	魯栻　乙卯舉人。	楊棨　原籍江蘇丹徒。		文慶祥　乙卯舉人。	姚紹賢　知縣。	曹光訓　字香琯，山西芮城知縣。		白桓　辛亥副。
	李德良　菡子，字伯起，四川成都知府。	錢以恕　字心如。						
咸豐二年壬子				楊炳衡　優。廣西梧州府同知。				
九年己未	李國琇　優。己未舉人。							李慶恩　優。江蘇同知。
十一年辛酉	李鍾陽　嘉端子，字伯昆，	李桂攀　德良子，字秋谷，	魏瀚　字海珊。	婁宿輝　字西樵，山西知	馮化麟　字曉洲。	謝開運　癸酉舉人。	曹金銘　字子箴。	齊維昌　本科副。

同治 九年庚午	
	吏部員外郎。 李國和 光涵子，字小甫，河南知府。 俞壽彭 庚午舉人。 李如松 優。字虎峯，內閣中書。
韓驤 優。乙亥舉人。	山東直隸州。
	縣。

	三河	武清	寶坻	甯河	昌平	順義	密雲	懷柔
十二年癸酉	王鵬齡 本科舉人。 王宗沂 本科舉人。 關棠 原籍湖北，字季華，翰林院孔目。	陸鍾琦 字申甫，撫甯縣教諭。	薛蔭 字召棠。	陳常 乙亥舉人。	紀承恩 字沐之。	趙廷桂 字子香。	蕭朝元	董希孟 字淑堂，鉅鹿教諭。
順治 五年戊子		趙之符 辛卯舉人。						
十一年甲午		張燦然 江蘇常熟	牛鑢 舉孝子，					

		知縣。	縣丞。					
十四年丁酉			王鼎呂 詳先賢傳。					
康熙五年丙午		高雲龍 知縣。						
十一年壬子		趙懿源 浙江江山知縣。	牛之澧				吳仕俊 原籍浙江山陰，江蘇江陰知縣。	
二十五年丙寅			劉起元 知縣。					
二十六年丁卯		諸葛銘 壬午舉人。	王讓 知縣。					

三十七年戊辰		趙栻					張星	
科分未詳								杜森浙江石門知縣。 杜琇 田得璧 杜振林 （已上四人據懷柔吴志）
雍正元年癸卯		諸葛永					王清標	
二年甲辰			芮景炤					
七年己酉		劉渶	單鐸		郎大全江南上元知縣。			

十二年甲寅			郝作梅 知縣。					
十三年乙卯		張煜		楊鑰 平山教諭。				
科分未詳							吴廷樞 原籍浙江山陰，辛酉舉人。	
乾隆六年辛酉		趙世烋	王嵩柱	廉選				
十八年癸酉		趙日融 肅甯教諭。	孫儒	邵蘭譜 四川梁山知縣。	陳本敬 庚辰進士。		武甲登 山西代州知州。	
三十年乙酉		陳章 廣西百色	鄭位中	張時行 州判。	王天秩 字庸典，			

		廳同知。			豐潤教諭。			
四十二年丁酉		王績著	王旭朗	馮鐸 丁酉舉人。	潘一桂 字殿颺，定興訓導。			鍾珩
五十四年己酉	郝爲章		芮汝爲	邵雙蔭 陳梅 優。字香國。	郭瑞 字理和，教諭。			
科分未詳		王溥 山東青平知縣。					傅彩 教諭。	
嘉慶 六年辛酉		王世昌	芮汝甡		徐九疇 字子範，州同。		王言 王珩 優。	孫昭

十八年癸酉	郝　澍	王訓著 威縣教諭。	李　蔭	崔一士 字介人，丙子舉人。	喬克昌		任百勳 山西布政使司經歷。	李兆祺
道光 五年乙酉	郝　淇	王鱣庭 字小蘇，廣平教諭。	馬大鈞	許　勍 州判。			王　鈞	杜蔚文
科分未詳							沈貽芳 戊子舉人。	
十一年辛卯				陳鴻翥 優。字鷺賓，山西甯鄉知縣。				
十七年丁	郝植松	楊廷梅	馬大鎔	李廷楫			謝　棠	鍾毓椿

酉				字星楂，刑部主事。李廷棟優。字隆吉。			字小林，甲辰舉人。	
二十三年癸卯				陳鴻翧優。字鶴庭，新樂教諭。李廷霖優。廷楫弟，字潤生。				
二十六年丙午				李學文優。字柳堂。				

二十九年己酉	咸豐八年戊午
郝涵	
陳元浩　字雨泉，河南知府。	
王濂　辛亥舉人。	李敬　優。
陳鴻翕　字靜山，貴州貴陽知府。 陳鴻翩　優。鴻翥、鴻翮弟，字桐溪，山東臨邑知縣。 廉兆桂　優。兆綸弟，字鶴舫。	

十一年辛酉	郝家駒 字德卿。	丁之栻 字次軒，户部員外郎。	胡勝 丁卯舉人。	戴彬元 己卯舉人。	朱蕡 壬午舉人。	李芬 字香圃。	任家瑜 式坊子，字伯衡，滿城訓導。
同治 六年丁卯				李維城 優。字翊周，望都訓導。 陳學彭 優。字松如，内閣中書。			
十二年癸酉	郝承禧 字介卿。	周靖 字伯恭。	張蓉鏡 字藕生。	孫培曾 字鶴江，户部七品小京官。	吴廷珍 字聘三，國子學正。	周蘭芳 字晼卿。	張振燕 字桂山。 宗晉源 乙亥舉人。
	解執中						

	涿	房山	霸	文安	大城	保定	薊	平谷
康熙十一年壬子				王聲鋐	劉志			
三十二年癸酉			牛琛 四川大邑知縣。	陳沔				
三十五年丙子				何桂蕃 丁卯舉人。				
三十七年戊寅			崔蒞	賈紹先				
雍正元年癸卯			張元錫					
十三年乙卯			崔集					

乾隆六年辛酉					王治		婁希濂	
十八年癸酉			韓注 江蘇陽湖知縣。		王栻			
三十年乙酉			徐焯					
科分未詳							李景觀 福建傳城縣知縣。	
四十二年丁酉	全本 廣西田州州同。		張文炘 河間教諭。	陳啟墉	李鍾岳		黃元文 阜城教諭。	
五十四年己酉	姚如松 甘肅知縣。		吴邦慶 乙卯舉人				白驥 平山教諭。	

科分								
科分未詳					劉栻			
嘉慶六年辛酉	譚成業 癸酉舉人。	邢天錫 字純甫。	吳邦杰 陝西華陰知縣。		王召棠		李潤	
十八年癸酉	全景熙 本科舉人。		吳祝齡 邦慶子，户部員外郎。	董鑾 字金坡，山東海防同知。	劉保垣		蔣熙	
道光五年乙酉	盧端元 工部員外。		韓允謂	董鎮 字曉峰，灤州學正。				
十七年丁酉	李咸中 貴州思州知府。		吳曾蔭 己亥舉人。	董汝兑 字秋帆。	宋寶樹		趙承祖	
二十九年己酉	李咸泰 河南知	常綺 字霞軒，	吳棐彝	紀昶 字午橋，	王廷蘭	李誠中	王昕 辛亥舉	

	府。	山西洪洞知縣。		江西知縣。			人。	
咸豐十一年辛酉	姚玉章 字仲達，教諭。	邢景耀 字午亭。	吳曾榮 字沛生，山西文水縣知縣。	靳作霖 庚午舉人。	呂式棟 辛酉舉人。	柴樹楷 丙子舉人。	孫永修 字慎齋，山東知縣。	崔如岡 字壽山。
同治十二年癸酉	蕭文治 字化南，沙河教諭。	段鴻文 字鳳樓。	崔宜簡 字方之，國子學正。	張毓楨 改名雲驤，字南湖，内閣中書。	景崇雍 字叔仁。	田顯承 字駿庭。	陳伯熊 字夢清，山東知縣。	沈成章 字達文。
光緒五年己卯						趙春堂 優。		

華陽吳祖椿校

光緒順天府志一百十九

人物志二十九

歙鮑恩綬纂　江陰繆荃孫覆輯

爵封表

古者建侯樹屏，以衛王國。自漢以來，寖異古法，而諸侯猶皆就國。唐太宗始用李百藥議，封諸王及功臣，但崇以爵等，食其租秩，劉秩所云設爵無土，署官不職者也。燕地當險要，捍蔽北方，封建之初，首稱君奭，秦、漢以降，代不乏人，沿及北朝，建置尤夥，姓氏、功績、郡邑、户數，章章可考。其虚封者不録。魏前之平昌，隋前之固安，皆非今順天地，凡兹之屬，亦弗録焉。作封國表。

朝代	國名	始封	子	孫	曾孫	今地

夏	范	夏世侯伯。（路史國名紀己）				大興
	良	幽之良鄉，漢之良縣。（路史國名紀己）				房山
周	鄚	黄帝後中絶，武王復繼之。（路史國名紀甲）				宛平

周	燕	召公奭，武王時封。（史記燕世家）按：燕至九世始可考，與他國不同，故每格標世次。	九世 惠侯，當周厲王奔彘共和之時。（史十二諸侯年表）	十世 子釐侯嗣，當宣王二年立，三十六年薨。（史十二諸侯年表）	十一世 子頃王嗣，當宣王三十八年立，二十年薨。（史十二諸侯年表）	大興
			十二世 子哀侯嗣，當平王五年立，二年薨。（史十二諸侯年表）	十三世 子鄭侯嗣，當平王七年立，三十六年薨。（史十二諸侯年表）	十四世 子繆侯嗣，當平王四十三年立，二十五年薨。（史十二諸侯年表）	
			十五世 子宣侯嗣，當桓王十年立，十三年薨。（史十二諸侯年表）	十六世 子桓侯嗣，當桓王二十三年立，七年薨。（史十二諸侯年表）	十七世 子莊公嗣，當莊王七年立，三十三年薨。（史十二諸侯年表）	

			十八世 子襄公嗣，當惠王二十年立，四十年薨。（史十二諸侯年表）	十九世 桓公嗣，當襄王三十一年立，十六年薨。（史十二諸侯年表）	二十世 宣公嗣，當定王六年立，十五年薨。（史十二諸侯年表）	
			二十一世 昭公嗣，當定王二十一年立，十三年薨。（史十二諸侯年表）	二十二世 武公嗣，當簡王十三年立，十九年薨。（史十二諸侯年表）	二十三世 文公嗣，當靈王十八年立，六年薨。（史十二諸侯年表）	
			二十四世 懿公嗣，當靈王二十四年立，五年薨。（史十二諸侯年表）	二十五世 子惠公嗣，當景王元年立，十年薨。（史十二諸侯年表）	二十六世 悼公嗣，當景王十年立，七年薨。（史十二諸侯年表）	

			共公嗣，當景王十七年立，二十七世　五年薨。（史十二諸侯年表）	平公嗣，當景王二十二年立，二十八世　十九年薨。（史十二諸侯年表）	簡公嗣，當敬王十六年立，二十九世　十二年薨。（史十二諸侯年表）	
			獻公嗣，當敬王二十八年立，三十世　二十八年薨。（史十二諸侯年表）	孝公嗣，當定王五年立，三十一世　十五年薨。（史十二諸侯年表）	成公嗣，當定王二十年立，三十二世　十六年薨。（史十二諸侯年表）	
			湣公嗣，當考王八年立，三十三世　三十一年薨。（史十二諸侯年表）	釐公嗣，當威烈王二十四年立，三十四世　三十年薨。（史十二諸侯年表）	桓公嗣，當烈王四年立，三十五世　十一年薨。（史十二諸侯年表）	

文公嗣，當顯王八年立，二十九年薨。三十六世（史十二諸侯年表）

子易王嗣，當顯王三十七年立，十二年薨。三十七世（史十二諸侯年表）

子噲嗣，當慎靚王元年立，七年燕爲齊滅。三十八世（史十二諸侯年表）

子昭王嗣，當赧王四年立，三十三年薨。三十九世（史十二諸侯年表）

子惠王嗣，當赧王三十七年立，七年薨。四十世（史十二諸侯年表）

子武成王嗣，當赧王四十四年立，十四年薨。四十一世（史十二諸侯年表）

子孝王嗣，當赧王五十八年立，二年薨。四十二世（史十二諸侯年表）

子喜嗣，當秦昭王五十三年立，三十三年爲秦所滅。四十三世（史十二諸侯年表）

	韓	侯，武王子，宣王時命爲侯伯。王肅云：涿郡方城縣有韓城，是。（陳奐毛詩傳疏）				固安
	無終	子，北戎國。（史匈奴傳正義）				薊
右三代封國六						

秦楚之際	燕	王，韓廣，二世元年爲趙略地，至薊自立爲燕王，三年改遼東。（史秦楚之際月表）				大興
	燕	王，臧荼，義帝元年二月以燕將封，五年反，伏誅。（史秦楚之際月表）				大興
	遼東	王，韓廣，義帝元年二月由燕改封，七月爲臧荼所殺。（史秦楚之際月表）				薊

右秦楚之際封國三王三

漢	燕	王，盧綰，高祖五年以功臣，十一年亡入匈奴。（史本傳）				大興
	燕	靈王，建，高祖子，十二年封立，十五年薨，絕。（史漢興以來諸侯年表）				大興

	燕	王，呂通，高后八年由東平侯封，九月國除。（史漢興以來諸侯年表）				大興
	昌平	侯大，孝惠子，高后四年封立，四年，爲王，國除。（史惠景閒侯者年表）				昌平
	燕	敬王，澤，高帝從祖昆弟，孝文帝元年由琅邪王徙，二年薨。（史諸侯年表）	子康王嘉立，當孝文帝三年立，二十六年薨。（史諸侯年表）	王定國嗣，當孝景帝前六年立，二十四年，坐禽獸行，自殺，國除爲郡。（史諸侯年表）		大興

	范陽	靖侯，范代，景帝中三年十二月以匈奴王降封，十四年卒。（漢景武昭宣元成功臣表）	子懷侯德嗣，當武帝元光二年，四年卒，無後。（漢景武昭宣元成功臣表）			涿
			代元孫政，賜爵關内侯，平帝元始二年。（漢景武昭宣元成功臣表）			
	燕	剌王，旦，武帝子，元狩五年封，三十七年，坐謀反，自殺。（漢諸侯王表）				大興

博陸	廣陽
侯，霍光，昭帝始元二年，以奉車都尉封，十七年卒。（漢外戚恩澤侯表）	頃王建，燕刺王旦子，宣帝本始元年紹封，立，二十九年卒。（漢諸侯王表）
子禹嗣，當宣帝地節二年，四年謀反，要斬。（漢外戚恩澤侯表）	子穆王舜嗣，當元帝初元五年立，二十年卒。（漢諸侯王表）
侯，陽光從父之昆弟之曾孫，當平帝元始二年以龍勒士伍紹封，邑三千户，王莽篡位，絶。（漢外戚恩澤侯表）	子思王璜嗣，當成帝陽朔二年立，二十年卒。（漢諸侯王表）
	子嘉嗣，當哀帝建平四年立，十三年王莽篡位，降爲公，明年廢。（漢諸侯王表）
密雲	大興

	臨鄉	侯，雲，頃王子，元年初元五年封。（漢王子侯表）	侯交嗣。（漢王子侯表）			固安
	平曲	侯，公孫渾邪，景帝六年以隴西太守封，四年有罪，免。（史記景紀）	侯景嗣。（漢王子侯表）			文安
	西鄉	侯，容，頃王子，元帝初元五年封。（漢王子侯表）	侯景嗣。（漢王子侯表）			涿

	陽鄉	侯，發，頃王子，元帝初元元年封。（漢王子侯表）	侯度嗣，免。（漢王子侯表）			固安
	益昌	侯，嬰，頃王子，元帝永光二年封。（漢王子侯表）	共侯政嗣。（漢王子侯表）	侯福嗣，免。（漢王子侯表）		永清
	方城	侯，宣，繆王子，平帝元始元年封，七年免。（漢王子侯表）				固安

	廣陽	侯，甄豐，元始年封，王莽篡位，更封廣新公。（漢書表）				大興
	陽鄉	侯，朱博，哀帝建平二年以丞相封。（通鑑三十四）				固安
	燕	王，劉慶，宗室，更始二年封，宗室後爲亂兵所殺。（錢大昭後漢書補表）				大興

右漢封國十八，王七，侯十一。

東漢						
廣陽	王，良，光武叔父，建武二年封，三年徙王趙。（後漢書本傳）					大興
雍奴	威侯，寇恂，建武二年封，十二年卒。（後漢書本傳）	子損嗣，當建武十四年，十七年徙扶柳。（後漢書本傳）				武清

	陰鄉	侯，陰識，建武二年由陰德侯改封，又改封原鹿侯。（後漢書本傳）				
	安樂	文恭侯，胡廣，桓帝建和元年封。（後漢書本傳）				通
	安樂	侯，杜奉，杜茂孫，安帝永初七年封。（補後漢書表）				通

	西鄉	侯，鮑吉，桓帝延熹三年封。（御覽引魯國先賢傳）				涿
	西鄉	侯，竇靖，武姪，靈帝建甯元年封，武敗，被害。（後漢書補表）				涿
	西鄉	侯，朱儁，中平二年封，改封錢塘。（後漢書本傳）				涿

	燕	侯，樊儵，永平二年由壽張侯改封。（後漢書樊宏傳）	子汜襲。（後漢書樊宏傳）	子時襲。（後漢書樊宏傳）	子建襲。（後漢書樊宏傳）	大興
				建弟盼襲。（後漢書樊宏傳）	子尚襲。（後漢書樊宏傳）	
	安次	侯，王敏，靈帝中平二年封。（水經聖水注）				東安

	西鄉	侯，曹玹，操子，獻帝建安十六年封，二十年卒。（魏志武文世王公傳）			涿
	范陽	侯，曹據，操子，獻帝建安十六年封，二十二年徙宛。（魏志武文世王公傳）			涿
	西鄉	哀侯，曹贊，沛穆王子，建安二十年封，奉懷王後。（魏志宗室傳）			涿

	西鄉	悼侯，曹壹，封奉懷王後，改封濟陰。（魏志宗室傳）				涿
	安樂	亭侯，王黑，允孫，獻帝建安時封。（後漢書補表）				通
	安樂	鄉侯，華歆，獻帝延康元年封。（魏志本傳）				通

右後漢封國十六，王一，侯十五。

魏	
薊	燕
公，曹抗，樊安公均子，文帝黄初三年徙屯留。（魏志武文世王公傳）	王，曹宇，武帝子，明帝太和六年由單父縣王徙封。（魏志武文世王公傳）
大興	大興

	范陽	閔王，矩，武帝子，文帝黃初三年追封公，大和六年封王。（魏志武文世王公傳）	子敏嗣，黃初五年改封，七年徙封句陽。（魏志武文世王公傳）			涿
	燕	公幹，武帝子，文帝黃初二年宏農侯進封，明年封河間王。（魏志武文世王公傳）				大興
	昌平	亭侯，司馬孚，司馬懿弟，文帝時以尚書僕射封，晉受禪，進安平王。（晉書本傳）				昌平

廣陽	鄉侯，荀甝，由萬歲亭侯進封。（魏志荀彧傳）	子頵嗣。（魏志荀彧傳）		
方城	敬侯，劉放，明帝景初二年封，十三年薨。（魏志本傳）	子正嗣，咸熙中改封子。（魏志坿放傳）		
安樂	貞侯，桓階，由高鄉亭侯進封。（魏志本傳）	子壯侯嘉襲。（魏志階傳）	子翊襲。（魏志階傳）	

良鄉	
固安	
通	

	安樂	成王，司馬望，由永安亭侯進封。（晉書本傳）				通
	安樂	景侯，王基，由常樂亭侯進封。（魏志本傳）				通
	常道	鄉公，奐，宇子，甘露三年封。（魏志三少帝傳）				東安

廣陽	安樂	方城
鄉侯，司馬亮，司馬懿子，魏時以萬歲亭侯封，討諸葛誕於壽春失利，免。（晉書本傳）	亭侯，司馬倫，嘉平中封，又進封東安子。（晉書本傳）	亭侯，鄧艾，高貴鄉公正元元年由兗州刺史封，尋進鄉侯，三年改封鄧。（魏志本傳）
大興	通	固安

	陽鄉	肅侯，王觀，由申鄉亭侯進封。（魏書本傳）				固安
	廣陽	侯，韓綜，吴將降，封。（吴志韓當傳）				大興
	安樂	思公，劉禪，蜀炎興元年封。（蜀志後主傳）	子恂襲。（蜀志後主傳）			通

安樂

鄉侯，劉玄，甘陵王永子，魏封。（蜀録）

通

右魏封國十八，王三，公四，侯十一。

晉

范陽

康王，司馬綏，宣帝弟，泰始元年封，咸寧五年薨，在位十五年。（晉書本傳）

子虓嗣，永興三年薨，在位十四年，無子，以南陽王模子黎爲後。（晉書本傳）

黎嗣於長安。（晉書本傳）

涿

	燕	王，司馬機，文帝子，爲清惠亭侯，京嗣，泰始元年封，邑六千六百六十三户。咸寧初，以漁陽郡益其國。拜青州都督、鎮東將軍、假節，以北平、上谷、廣寧郡一萬三百三十七户增爲二萬户。薨，無子，齊王冏子幾爲後。（晉書本傳）	子機嗣，冏敗，國除。（晉書本傳）			大興

章武	廣陽
王，司馬威，河間平王洪子，咸甯二年徙封後，太康九年，嗣義陽王。弟混復紹封，章武薨。（晉書本傳）	王，司馬冰，齊王冏子，紹樂安王鑒後，食濟陰萬一千二百十九户，冏敗，廢。（晉書本傳）
大城	大興

	燕	王，慕容儁，穆帝永和五年封儁爲大將軍，幽、平二州牧，燕王，六年，平薊，徙都之，八年，僭帝號。（晉穆帝紀）				大興

右晉封國五，王五。

按：司馬滔及子休嗣封章武，當元帝時，皆空爵無寔土，不録。

燕	范陽	王，慕容友，燕光壐三年以左賢王封。（封爵譜）			涿
	漁陽	王，慕容涉，燕光壐三年封。（前燕録）			薊
	范陽	公，慕容德皝子暐卽位，以梁公改封。（晉書載記）			涿

	范陽	公，劉甯，前燕以將軍封，後降秦。（封爵譜）				涿
	章武	王，慕容宙，垂弟，燕元元年以征虜將軍封，後改樂浪。（晉書本傳）				大城

右燕封國五，王三，公二。

按：劉鸞，劉聰時封燕王。石斌，石虎時封燕王。姚國兒章武公符抑、范陽公馮素弗、范陽公符武封燕公，建元三年誅，慕容淵長樂元年，封章武公，未得其實地，皆不録。

秦	泉州	侯，慕容垂，建元中由賓徒改封。（後燕進）				武清

右秦封國一，侯一，

魏	平舒	侯，燕鳳，太武初以行臺尚書封，神武六年卒。（魏書本傳）	子才襲，卒。（魏書附鳳傳）	子元孫襲，卒。（魏書附鳳傳）	子世宗襲。（魏書附謙傳）	大城

	平舒	侯，許謙，皇始元年以左司馬陽曲護軍封。（魏書本傳）	子洛陽襲，後進爵北地公。（魏書附謙傳）			大城
	昌平	侯，蛾清明，元帝時封，世祖初進東平公。（魏太宗紀）本傳作須昌。				昌平
	廣陽	簡王建閭，太武帝子，由楚王改封。（魏書本傳）	子哀王石侯襲，薨。（魏書本傳）	定王遺興襲，無子。（魏書本傳）		大興

		章武
		敬王太洛，皇興二年薨，追贈郡王、征北左將軍，無子。（魏書本傳）
懿烈王嘉，石侯弟，封以紹建間後。（魏書本傳）	四世 王，法輪湛子，襲爵。（魏書本傳）	王彬襲，南安惠王子，爲太洛嗣。（魏書本傳）
忠武王深襲，爲葛榮所殺。（魏書本傳）		莊武王融襲，討鮮于脩禮，戰歿。（魏書本傳）
文獻王湛襲，入爲侍中，行司州牧。（魏書本傳）		王景哲襲，齊受禪，例降。（魏書本傳）
		大城

燕	文安	范陽
王譚，太武帝子，真君三年封，後改封臨淮。（魏書本傳）	公，泥國疏族，太祖時封。（魏書本傳）	王，元誨，孝文帝孫，孝昌二年以太常卿封。（魏書本傳）
	子屈嗣，改元城。（魏書本傳）	
大興	文安	涿

	漁陽	王，元湛，景穆帝曾孫，莊帝初，遇害河陰，追封。（魏書本傳）	子儼襲爵，齊受禪，例降。（魏書本傳）			薊
	漁陽	王，元綱，宗室封。（魏書本傳）	子住任襲，入周，降郡公。（魏書坿綱傳）	子弘襲，入隋，煬帝時徙日南，道死。（魏書坿綱傳）		薊
	燕	公，公孫軌，太武時以尚書封。（魏書坿公孫表傳）	子斌襲，拜内都大官。（魏書坿表傳）			大興

	廣陽	恭侯，公孫質，真君五年追贈。（魏書公孫表傳）				大興
	范陽	侯，公孫邃，以南部尚書封。（魏書坿表傳）	子同始襲，官至給事中。（魏書坿表傳）			涿
	昌平	子，公孫衡，以司直賜爵。（魏書坿表傳）	子宗基襲。（魏書坿表傳）			昌平

漁陽		范陽
莊王，尉眷，由山桑侯封公，又進封王。（魏書坿尉古真傳）		子，盧遐，以尚書封。（北史坿盧玄傳）
子多侯襲。（魏書坿尉古真傳）		
子建襲。（魏書坿尉古真傳）	弟郁襲。（魏書坿尉古真傳）	
	子範襲。（魏書坿尉古真傳）	
薊		涿

	燕	郡公，常喜，大安初以左光祿大夫封。（魏書坿常英傳）				大興
	范陽	子，韓均，以中散封，後襲兄爵安定公。（魏書韓茂傳）				涿
	范陽	公，李訢，皇興四年由司空封，後誅死。（魏書本傳）				涿

	平舒	伯，邢巒，孝文時以安東將軍封，食邑三百户。（魏書本傳）	子遜襲。（魏書附巒傳）			大城
	漁陽	莊子，司馬悦，宣武帝以豫州刺史封。（魏書司馬楚之傳）	子朏嗣。（魏書坿楚之傳）	子鴻嗣，坐與西賊通，賜死。（魏書坿楚之傳）	子孝政襲，齊受禪，例降。（魏書坿楚之傳）	薊
	昌平	男，寇治，世宗末以金紫光禄大夫討蠻戰殁，追封。（魏書坿寇讚傳）	子朏之襲。（魏書坿讚傳）			昌平

	方城	伯，王榮世，孝明帝時封子，後戰死追封，進伯。（魏書節義傳）			
	范陽	子，盧文翼。永安中以都督守范陽城封。（魏書坿玄傳）			
	漁陽	男，崔巨倫，孝莊帝時以東濮陽太守封。（魏書坿崔辨傳）	子武嗣，齊受禪，例降。（魏書坿崔辨傳）		
	固安				
	涿				
	薊				

	章武	孝穆伯盧同，孝莊時以都官尚書封。（魏書本傳）	子斐嗣，坐謗史事，死獄中。（魏書坿同傳）			大城
	漁陽	侯，侯淵，建明中由厭次侯封，出帝末，叛奔蕭衍，被殺。（魏書本傳）				涿
	章武	文貞伯，恭儁，出帝時以滄州刺史封。（魏書本傳）				大城

	燕	郡王，賀拔可泥，永熙中以太尉封，爲高歡所害。（魏書本傳）				大興
	文安	子，長孫紹遠，孝武帝封。（周書本傳）	子覽嗣。（周書紹遠傳）			文安
	章武	男，韓顯宗，景明初追封。（魏書韓麒麟傳）	子武華襲。（魏書韓麒麟傳）			大城

	長鄉	懿侯，元提，由臨淮王削爵復封。（魏書大武五王傳）				固安
	長鄉	子，賀迷，文帝時賜爵。（魏書外戚傳）				固安
	安樂	厲王，長樂，文成帝子，由建昌王改封。（魏書本傳）	子詮襲。（魏書坿長樂傳）	子鑒襲，反，誅。（魏書坿長樂傳）		密雲

	安樂	侯，尉諸，道武時由子進封。（魏書坿尉古真傳）				密雲
	安樂	文侯，高閭，孝文時由子進封。（魏書本傳）	子元昌襲，（魏書坿閭傳）	孫穆宗襲。（魏書坿閭傳）		密雲
	昌平	公，李景遺，孝莊帝時封。（北齊書李元忠傳）	子伽林襲。（北齊書坿元忠傳）			昌平

燕樂	安市	燕
子，趙貴，魏孝莊帝時封。（周書本傳）	靖侯甄密，孝莊帝初封。（魏書坿甄琛傳）	王，賀拔允，以壽陽縣公進封燕郡公，後進王，天平元年賜死。（北齊書本傳）
密雲	密雲	大興

	右魏封國四十一，王十，公五，侯十，伯四，子八，男四。	東魏
安次		章武
縣男，侯，莫，陳相以汾州刺史封，天保初進封白水郡主。（北齊書本傳）		郡公，湝，神武第八子，元象中封，天保初進襄城郡王。（齊書本傳）
東安		大城

	燕	公，慕容紹宗，以索虜縣公改封。（齊書本傳）	子建中嗣。（齊書紹宗傳）			大興
	平舒	侯，范含樂，從神武帝破爾朱兆功，封平舒男，後進封。（齊書慕容儼傳）				大城
	章武	景王，高湝，高祖子，元象時封。（北齊書本傳）				大城

右東魏封國四，王一，公二，侯一。

齊	漁陽	王，紹信，文襄第六子，齊亡，徙長安。（齊書本傳）			薊
	范陽	王，紹義，文宣第三子，由廣陽改封，齊亡，奔突厥。（齊書本傳）			涿

	漁陽	王，紹仁，文宣第四子，由上黨改封，後復改河西。（北史文宣帝紀）				薊
	昌平	薄家城鄉男，張保洛，魏時封，後遷安武縣伯。（北齊書本傳）				昌平
	方城	敬簡伯，陽斐，魏時封，齊乾明元年卒。（北齊書本傳）				固安

	章武	郡王，庫狄干，天保初由廣平郡公封。（北齊書本傳）	子士文嗣（北齊書本傳）			大城
	安樂	王，高仁雅，武成帝子，天統三年封。（北齊書本傳）				密雲
	安樂	王，趙彥淵，由安固侯進封，又改宜陽。（北齊書本傳）				密雲

燕	燕
王，陽休之，由新泰伯進封。（北齊書本傳）	郡公，祖健，後主時以尚書左僕射封，後坐罪，免。（北齊書本傳）
大興	大興

右齊封國十，王七，公一，伯二。

周	燕	公，宇文盛，宗室，從太祖破侯莫，陳悦功，封漁陽縣子，後進公。（周書本傳）				大興
	燕	公，于謹，由常山公封。（周書本傳）	子寔襲。（周書坿謹傳）	子顗襲。（隋書于仲文傳）	子世虔襲。（隋書于仲文傳）	大興
	范陽	公，盧辯，武帝時以太子少傳封。（周書本傳）	子慎嗣。（周書坿盧辯傳）			涿

漁陽	文安	漁陽
公，楊銳，大象元年由上柱國封。（周書靜帝紀）	子，張奫，以大都督、開府儀同三司封。（隋書本傳）	公，楊睿，由隴西郡公封。（周書楊纂傳）
薊	文安	薊

	范陽	侯，崔仲方，以平東將軍、石城男封，後進封固安公。（周書本傳）				涿
	范陽	公，賀若誼，以亳州總管、建成縣侯進封。（周書本傳）				涿
	燕	簡公盧光，由安息侯進封。（周書儒林傳）	子賁襲。（周書盧光傳）			大興

右周封國九，公七，侯一，子一。

隋	
燕	涿
王，倓，煬帝孫，大業二年封。（隋書本傳）	公，盧楚，以內史令封。（隋書誠節傳）
大興	涿

漁陽	燕
公，元徑，降封。（隋書酷吏傳）	王，棣，太祖第三子，洪武三年封，建文四年即帝位。（明紀）
薊	大興

右隋封國三，王一，公二。

明

右明封國一，王一。

華陽吴祖椿校

人物志三十

歙鮑恩綬纂 江陰繆荃孫覆輯

昭忠表

賁父有誄，汪錡弗殤，教忠之典，戴記尚已。我朝優禮藎臣，逾於恆等，上者錫爵建祠，次者贈官蔭子，下至執戈戍卒，荷鍤編氓，莫不附祀饗宮，列在令典，所以逆鋒所至，協力同仇，視節義猶泰山，蹈金刃若流水，固士民之狥義者夥，亦聖教之感人者深也。大凡事蹟較著，均立專傳，餘入此表，使後來者有可考焉。作昭忠表。

明

王鈇嘉靖進士，授常熟令。擊倭，陷陣中被害。贈太僕寺少卿。 宗禮京衛人，嘉靖時武舉，神機營游擊，禦倭戰死。 任之華登武科，除昌平守禦，歸未幾，值崇禎甲申之變，自縊死。 郭□備禦遼東，以王事死。 郭□子調赴大安口，以王事死。 唐嗣美崇禎甲申，死於難。以上畿輔唐志。 王來聘副總兵，崇禎五年率官軍攻孔有德，於登州中傷死。 梁清宏都指揮，崇禎甲申都城陷，不食死。 周黨生員，崇禎甲申，罵賊死。 李汝翼生員，崇禎甲申，罵賊，被磔死。 祝洪籙生員，崇禎甲申，自縊死。 李夢禧崇禎甲申，自縊死。 夢禧子二隨父死。 李若珪錦衣衛指揮同知，縊死。 高宇順司禮監，自焚死。以上甲申傳信錄。 張應選供事，崇禎甲申，自縊死。 應選子□隨父死。以上勝國殉節諸臣錄。 李小槐甲申偕妻杜氏、二子、一女、一婢縊死。 熊天倫泌陽主簿，遇賊，全國死難。 徐文樸千總，戰死。以上甲申傳信錄。

國朝

李典元雲南按察使，康熙年間，吴逆之變，不屈死。贈太常寺卿。畿輔唐志。

葉朝柱以身衛主被殺。畿輔唐志列女傳。按：諸人各書皆云順天人，未詳何縣，故録冠縣表之首。

表一	大興	宛平	良鄉	固安	永清	東安	香河	通州
金	王毅 詳傳。	馬肩龍 詳傳。 宋扆 詳傳。						
元	宋□ 兵破大都，投井死。（元史列女傳）	朴賽因不花 明兵逼京師，率羸卒數百守城，城陷，執見主將，不屈，死。（宛平王志）				張宏綱 昭遠將軍，討八百媳婦，力戰死。謚忠武。（東安李志）		

明

孫□ 孫承澤父，崇禎甲申，投井死。

孫□ 承澤子，與祖同死。

吳從義 長安令，流寇至，投井死。

張慶臻 襲惠安伯，加太傅，崇禎甲申之變，自焚

杜奇 靖難兵將起，令舉賢良方正，有司以奇名上，奇極諫，當守臣節。上怒，斬之，族其家。福王時贈翰林院檢討，謚貞固。

米壽圖 南京御史，福王時出按四川，爲大

王景 正德四年，流寇亂，景代父從征，至太和縣，歿於陣。

張子卿 山東陽信縣知縣，崇禎壬午殉難。

侯鼎祿 山西霍州州判，流寇至，城陷，殉難。（以上良鄉楊

于進善 柘城縣知縣，萬曆甲午舉人，城陷，自縊。

張國銘 崇禎二年守西城，城陷被害，合家三十口同死節。

蘇爾和

王家賢

張宏望

張宏祚

張宏度

葉福兒 洪武中隨駕奉天征討，克懷來等處，夾河大戰陣亡。

劉惟蕙 泰昌中，官甘肅守道，以母喪歸里，壬午之變，城陷，殉難。

賈應鶴 崇禎時官行人，甲

唐德明 舉人，崇禎十六年賊陷城，强以僞官，不屈，仰藥死。（勝國殉難諸臣録）

周雲曇 事。（香河劉志列女傳）

周騰蛟 汜水縣知縣，撫字殘黎，民德之。擊賊却走。崇禎十五年，賊大至，持十餘日，力不支，繫印投河死。（勝國殉難諸臣録）

劉廷訓 吳橋訓導，崇禎十一年，大兵南下，守城不去，死之。

唐嗣美 山西布政使，崇禎甲申，爲流賊所執，搒掠甚慘，含血噀賊死。

張樫芳 吏部郎中，甲申

死。

張 □ 慶臻子，隨父焚死。

衛時春 襲封宣城伯，崇禎甲申，闔家投井死。

高 甲 錦衣右所世千户，崇禎甲申，殉難。

徐 爆 府學生，兵所執，不屈，死。（以上畿輔唐志）

金三聘 郯城縣知縣，崇禎中城陷，合家殉難。

張所養 錦衣衛指揮，崇禎甲申之變，被執，不屈，死。（以上王志）

勝國殉志）

陳鑫測 武舉。

梅友松 生員，崇禎二年，大兵破良鄉，殉難。

史崇文 大甯縣典史，崇禎十七年，城陷，陣亡。（以上勝國殉難諸臣録）

宏度弟三、子二。

楊憲學

楊鼓學

楊紹庭

楊紹麻

楊紹席

楊紹店

楊紹序

楊充業

楊景業 紹序子。

盧敏行

盧克俊 敏行子。

盧敏道 申之變，絶粒死。

高時明 崇禎時官司禮監，甲申之變，絶粒死。又其徒李繼善、李憲章前後死。（以上永清周志）按：二李周志連類書之，未知同是永清否？附列於此。

之變，爲流寇所執，罵賊死。

楊若桐 江南睢甯縣知縣，甲申之變，爲流賊所執，不屈，死。

李鐘英 庠生，崇禎甲申之變，衣冠投河死。

田 □ 以銀匠爲業，崇禎甲申之

崇禎甲申，自焚死。

徐□　⿰火录子，隨父焚死。

張玉瓚　府學生，崇禎甲申，投水死。

蔣士忠　府學生，崇禎甲申，投水死。

藺位卿　府學生。

陳正國

難諸臣録云：定興人。

劉一松　虎賁右衛世襲指揮，崇禎甲申之變，自縊死。

高文彩　錦衣千户，崇禎甲申之變，令家人十七人先後投繯，埋於後園，朝服自縊

盧□

盧克昌　盧□子。

傅商衡

傅國檻

傅國梁

傅國楠　皆商衡子。

傅敦禮

傅商維

傅國樞

張本宿

張□

變，赴水死。

賈以禄　庠生，崇禎甲申之變，詣莊烈帝柩前拜哭，賊異之，不殺，偕弟以壽南行，將欲倡義雪國恥，行至廣德州，州人以貌類馬士英，誤擊死。

段尚聲

府學生，崇禎甲申，自縊死。（以上大興張志）按：志板刓闕，有某某祇同州戰死數字，某某祇流賊破城，縊死數字，他無可考，附載於此。

曹鳴鶚
武安守備，崇禎

死。

高□
文彩子。

高□
文彩孫，皆從死。

洪□
生員，崇禎甲申之變，先令二女死，乃同妻王氏北面拜，分左右自縊死。

阮文相
生員，崇禎甲申，

本宿子。

張□

張奇宿
張口子。

張我經
我經弟五、子一。

呂金聲

呂和聲

李允茗

李優賢
允茗子。

曹嘉采

曹可定

桂陽州州判，桂王時孫可望僞帥郝成忠陷州城，死之。

殷□
尚聲子，隨父死。

何宗孔
紫陽典史，崇禎十一年，流寇至，陷城，死之。（以上勝國殉難諸臣録）

六年，賊犯武安，戰死。

甯承烈 縣志作承熙，一統志作丞烈，户部員外郎，縣志作兵部，崇禎甲申，自縊於官廨。

于騰雲 一作蛟，光禄寺署丞，崇禎甲申，朝服自縊

自縊死。

阮文彩 文相弟，生員。

阮謙 文相子，生員，均隨文相死，男女同死者九人。

徐道 京營卒，崇禎甲申，流寇至昌，矢守城，城破，墜城

死。

嘉采子。

時方盛

時明盛 方盛弟。

張居仁

張居義

張□ 居義子。

辛丕顯

辛鏡

辛鋭

辛銓 皆丕顯子。

辛嘉顯

任之和 甲申之變，投河死。（甲申傳信録）

死。

楊　元　太醫院吏目，崇禎甲申，自縊死。

張國維　錦衣衛指揮，崇禎甲申，被執不屈，死。

張國光　商城縣知縣，崇禎甲申，聞都城陷，整衣冠北向拜，自

閻守義　崇禎甲申之變，罵賊，死。

□　顒　原名邦瞻，應死甲申之變。志字模糊，姓及事蹟俱不可辨識。（以上王志）

曹一貞　清豐縣訓，導崇禎十五年，大兵

辛　琮

辛　珍　皆嘉顯子。

常可久

王　□

王思問　王□子。

周自任

方有秋

方　□　有秋子。

龐時醇

祖孟義

孟義子

縊死。

徐兆任 滎陽縣知縣，家居，崇禎甲申，自縊死。

周洴 文童，崇禎甲申，悲憤，嘔血死。

張士禧 一作喜。

張懋賞 生員。

張懋官 均士禧子，崇禎

破清豐，殉難。

馬象乾 濮州知州，崇禎甲申之變，自縊死。

馬□ 象乾子，隨父死。

田祥宇 王志作大年。崇禎甲申之變，合家焚死。

（以上勝國殉難諸臣録）

二。

張正蒙

張□ 正蒙弟。

韓復愈

王□

王善修 王口子。

張可久

張□ 可久子。

王存養

賈尚德

賈□

甲申，父子同縊死。

范箴 一作箴聽。受業於高攀龍，行誼甚高，崇禎甲申，不食，死。

楊鉉 崇禎甲申，赴井死。

鉉子二 隨父赴井死。（以上勝國殉

房之屏 山西安邑縣知縣，賊至，爲所殺。（明史忠義傳）

魏起元 庠生，甲申之變，自焚死。（采訪册）

尚德子。

王變化

王致恬

辛玉潤

張杲

張其韡

張慎行

劉餘祉

劉宗伯

劉宗禹

袁秉謙

龐繼志

劉宗皐

難諸臣録）

李耿　山東壽光縣知縣。大兵至境，縊死。（采訪册）

陶昌允

趙棟

黄拱中

倪文德

韋尚志

單養性

李允起　允起子四，皆諸生，崇禎二年，大兵陷城，殉難。

傅國楹

李時康　内黄縣教

諭，固安城陷，殉難。

李毓英　武昌通判，崇禎十六年，獻賊陷武昌，闔門自縊死。

楊光龍　中軍都督僉事，崇禎甲申，巡緝京城，城陷，投泡子河井死。（以上固安陳志）

國朝

胡其俠　四川撫標游擊，順治十八年，川寇亂，戰死，贈參將。（畿輔唐志）

王任杞　畿輔唐志作仕杞。長沙府知府，南兵破城，被殺，一門四十口同縊死。

王　辛

張國豐　順治初，官太原甯武關同知，總兵姜瓖叛，死之。

王嘉禎　福建興化府游擊，順治十六年，海寇圍仙游，往援，力戰死。（以上畿輔唐志）

翟景禧　廣西融縣

袁　口　順治初，在子商雒道任所山寇賀遥期作亂，戰死。

袁生芝　袁口子，順治初，官商雒道，城陷，自經死，合門死者三十二人。（以上楊志）

賈慶檀　詳傳。

葉福棠　詳傳。

張耀崙　詳傳。

張春園　庠生。

趙文林　庠生。

葉聯棠　庠生。

李　芸

葉　莊　翰林院待詔。

黃芝芳　湖北黃陂縣縣丞，陞大同經歷，值姜瓖逆之變，殉難死。（東安李志）

李錫命　廣東羅定州副將，嘉慶四年，勦川楚教匪，力戰死。（采訪册）

張有芳　陝西延安府同知，順治年間，流寇餘黨竄入秦中，聚衆攻城，城内無兵無糧，有芳率家丁禦賊，矢中左臂死。（香河劉志）

張文輝　崇禎七年進士，改官建南道，江西寇起，松關失守，繫印於背，沈河死。

劉錫名　陝西乾州吏目，署洋縣縣丞，嘉慶間，甯陝廳五郎關兵叛，擾及洋，錫名與縣令

天長縣知縣，順治年間，海寇犯境，不屈，死。

袁　捷　詳傳。

賈　質　江南鎮江右營游擊，順治年間，海寇犯境，力戰死。贈參將。

張國彦　陝西延綏中路以署督僉事管

知縣，署賓州知州，咸豐七年，賓州城陷，力戰陣亡。

翟景禄

翟振先　從九品，隨景禧在賓州遇賊，被害。

朱　銘　咸豐十年，京師戒嚴，自縊死。

葉　紋

張殿甲　武生。

葉　崗

葉　裕　一作裕年。

葉　緒

葉鶴鳴

張毓荃

張毓蘭

張殿邦

張殿鰲

趙廷和

龐　起

嬰城固守，城陷，遇害。

李載文　詳傳。

杜階平　江南興武衛千總，咸豐三年，髮逆竄金陵，死之。

劉心台　廣西修仁縣典史，咸豐年間，從浙軍援皖，

副將事，滇黔變起，調守興漢等處，城垂破，與子共焚死。

張□　國彥子，隨父焚死。

梁士　陝西南雒道中軍，巨寇劉二虎犯境，力戰死。

魯頌

王家梓　江蘇候補典史，咸豐十年，蘇州城陷，巷戰陣亡。

王觀福　家梓子，隨父死。

李建勳　湖北前營經制外委，咸豐十年，隨官軍在江蘇丹徒陣亡。

楊正孚

單雲祥

孫鳴祥　一作明祥。

張倣　一作訢。

王桐

侯兆熊

高慶堂

紀有文

陳殿魁

楊俊升　一作升。

王彬

單得才

屢立戰功，七年，隨候補道金國琛勦賊婺源，陣亡。

李右文　詳傳。

李傑　右文子。

李偉文　浙江候補知縣，署烏程令，有政聲，卸篆居杭，咸豐十年，杭城陷，自

廣東左營都司，康熙年間，與海寇力戰陣亡。（以上張志）

劉 玉

四川會理州知州，康熙年間殉難。

俞恆淳

湖北候補知縣，咸豐四年，粵逆犯楚，隨臬司岳興

署安徽銅陵縣大通巡檢，咸豐三年，粵逆陷安慶，接仗陣亡。

胡慶山

隨烏魯木齊行營効力，同治九年，回匪撲高台縣城，接仗受傷，陣亡。

林 嵐

從九品，同治七

一作德才。

王廷海

王福林

董繼舋

董繼文

石玉山 一作玉升。

房廷貴

張志學

魯雲峯

馮 玉

饒有榮

縊死。

王其昌

河南閿鄉縣知縣，先署洧川、延津等縣，有王青天之稱。咸豐十年到閿鄉任。同治元年，捻逆猖獗，地當其衝，城久圮，賊入，投河死。贈道員。

馬步衢

阿、道員李清穀守城，城陷，殉難。坿祀岳李專祠。

俞楨

恆淳子，生員，隨父於武昌軍營，城陷，被執，不屈，爲賊支解死。

沙明庚

年，捻逆竄擾直東，帶團擊賊，在山東茌平縣屬陣亡。

李方泰

浙江候補按經歷，奉委支放浙省米局，咸豐十一年，粵逆陷杭城，力戰陣亡。

李堉清

浙江試用從九品，

趙林

陳永茂

韓士辰

李順

李桐

王小羣

劉柏　一作柏年。

鄭林

馮和

王永泰

龐連城

張晝圖

趙廷侯

千總，署安徽滁州衛守備，地經兵燹，人無固志，咸豐間，賊至其地，遇害。

金善長

咸豐十年，洋人北至肆擾，各邨鍵門，舉火，男女六人悉自焚死。

潘佐庭

八品軍功，咸豐十年二月，賊陷杭城，率勇迎戰，陣亡。

鄒搏萬

候選通判，咸豐十一年，在江西新建原籍，督團巷戰，爲賊支解。

王楫

安徽長淮千總，咸

咸豐十一年，粵逆陷杭城，服毒死。

丁紹元

咸豐七年，在常州府罵賊，投池死。

丁東川

湖南茶陵州視渡口巡檢，咸豐六年，告病回籍，十年，逆匪竄擾直

王書

余廣和

宋如蘭

陳國棟

金國隆

王鳳

范東立

王羣

李法孔

李水

李新田

路秃子

王起

江蘇蘇州前幫千總，咸豐十年，粵逆陷蘇州，巷戰陣亡。

楊士箴

福建建甯縣知縣，咸豐間，髮逆至，募勇治具圖守禦，賊結土匪爲内應，城陷，不屈，死。贈同知，於原籍及

豐十年，在江蘇無錫勦賊陣亡。

章偉才　江蘇候補未入流，咸豐三年，在江甯城內新橋罵賊，死。

孫長齡　甘肅候補巡檢，同治二年十月，署靈州吏目，遇賊被

東，辦團陣亡。

楊文棉　直隸泰甯鎮太平峪千總，隨僧忠親王在山東防勦。同治四年，在茌平地方陣亡。

章熙　雲南候補巡檢，署大姚縣典史，咸豐十年，同逆肆擾，

徐□頭

李住

郭清泰

王有明

李俊

楊榮

王樞

賈廷獻

龐羅志

馮立

李相

葉玉

張春圖

殉難地方建祠。

楊繼賢　士篋子，以救父遇害。附祀士篋祠。

張保忠　浙江烏程縣縣丞，同治元年，城陷，遇害。

張繼綬　保忠弟，隨保忠死。

害。

李元榮 廣西容縣白良司巡檢，咸豐五年六月，差赴湖北沔陽巡防，遇賊陣亡。

徐思復 福建候補縣丞，署仁壽縣縣丞，咸豐七年四月，賊迫城，出戰陣亡。

巷戰陣亡。

劉雲瑞 監生，同治十一年，在甘肅平番縣松山灘遇回匪，被害。

邵福基 候選衛千總，在甘肅甯夏府陣亡。

楊振邦 京營把總，守甯夏，咸豐

單文祥

韓臣

黄玉彬

王廷海 以上皆與葉福棠同時殉難，縣志列傳及禮書併載，而名每歧出，附考於下。

林開甲 從九品銜，咸豐十一年三月，在浙

朱壇 候選鹽知事，居揚州，咸豐五年，揚城陷，駡賊，死。

劉湛 甘肅候補同知，奉差甯朔，遇回匪，力戰死。

劉房吉 州志作房吉。劉湛僕，隨湛力戰死。

何瀛

李慶琛　江蘇候補道，咸豐十一年，髮逆竄擾太倉，力戰陣亡。

邵鋉　候補府經歷，咸豐九年，城陷被戕。

王學海　咸豐五年，粵匪陷鳳陽，巷戰陣亡。

范承寬

十一年，回逆攻撲府城，禦賊陣亡。

王成章　六品軍功，同治九年，在烏魯木齊與回逆接仗，陣亡。

馮振家　咸豐七年，隨汀州鎮赴援浙江，在義烏縣陣亡。

江海鹽縣殉難。（以上吳志）

廣西賀縣營都司，咸豐八年，賀縣城陷，陣亡。

王德潤　江淮衛千總，咸豐三年，賊陷金陵，被害。

于燦　浙江海甯守禦所千總，咸豐間，杭城陷，闔家殉難。

候選從九品，咸豐三年，在揚州陣亡。

蔣錫勳　咸豐十年，逆匪竄河南唐縣，罵賊陣亡。

范先登

范承福

范先成　咸豐三年，江甯城陷，兄弟罵賊，

楊明善　湖北天門縣知縣，咸豐二年，賊至，殉難。

王紀勳　陝西拔補千總，同治六年，在綏德州陣亡。

張永成　補用把總，同治六年，在山東曹縣陣亡。

于立金　燦子，隨父死。

李德成　外委。

張玉林

成太和

呂順　以上馬兵。

崔吉升　步兵。

賈天福　守兵。

高唱凱

隋振興

死。

張初子　范先成僕，隨主死。

王光綬　生員，咸豐三年，回祖籍安徽桐城，粵匪適至，力戰陣亡。

官儀一　陝西試用道倉大使，同治七年，在長武縣屬

劉嘉瑞　候補把總，同治六年，在山東曹州府陣亡。（以上采訪册）

王世琦　京城北營把總，征廣西陣亡。（忠義局册）

傅長春

孫萬青

王永順

梁　永

邢忠海

陳永興

薄富柱

陳玉和

曹永和

唐啟瑞

李　永

張洪亮

阮　洪

亭口遇回逆，格鬭被執，不屈，遇害。

于　錕　福建候補通判，浙省被圍，派守鳳山門。咸豐十年二月，城陷，巷戰陣亡。

于兆溶

于兆溱　咸豐十年，粵匪

劉魁武
姜占魁
李文浩
馬得良
石　全
敖士元
閻文亮
池占魁
張志德
曹振齡
王　景
盧洪升
李得勝

陷杭城，殉難。

林忠
于兆溱僕，隨主死。

吴山
候選從九品，隨父任於江蘇，咸豐十年，粤匪陷蘇城，罵賊不屈，死。

董德萱
貴州安平縣典史，

王得勝

楊玉喜

張東來
以上咸豐二年，出師陣亡。

朱兆發
事母至孝，負義氣，咸豐十年，隻身往説洋人，爲火槍擊殞。（以上高志）

署黎平府經歷，咸豐五年，苗逆攻陷府城，巷戰受傷，死。

董宏遠

湖南寶慶府同知，防勦廣西苗匪，屢立戰功，同治七年，積勞病故。

王如山

江蘇奉賢縣知縣，

咸豐十年，粵匪陷蘇城，陣亡。

吴貞

貴州黎平府知府，咸豐四年，解餉出境遇害。

周玉傑

候選鹽知事，在保定府遇賊，陣亡。

董維藩

候選道，

投効貴州軍營，同治七年，在黎平督勦，陣亡。

陳元藻

江蘇候補，從九品，巡防蘇州胥門，咸豐十年，粵匪陷城，力戰陣亡。

張煜堂

河南孟津縣知縣，

同治三年，調赴直隸巡查河道，適捻匪竄直東，隨同防勦，力戰陣亡。

孫兆蘭

直隸督標右營把總，同治六年，捻匪竄擾山東，在茌平陣亡。

陶安福

候選知縣，同治

四年，在廣西軍營積勞病故。

李祥 外委，咸豐八年，在江西毛唐橋陣亡。

薛玉振 六品軍功，拔補外委，咸豐六年，出師安徽，在潁州府屬禦賊陣亡。

王清慎　儘先千總，光緒三年，克復烏魯木齊，接仗陣亡。周永勝　六品藍翎，把總。周作霖　二人，同治七年，在饒陽率團禦賊陣亡。李學文

爲邑中巡綽，聞途有盗，單騎迎戰，力屈死。

王廷瑞

江西德化縣典史，咸豐二年，粵匪至，守城，殉難。

楊鳳墀

咸豐四年，遇賊不屈，死。

馬宗平

馬興業

杜福海

馬宗順

馬景詩

俱同治六年，禦賊死。

梁羣和

梁　牛

韓德利

魏雙羣

皆同治六年，遇賊被害。

（以上采訪册）

表二	北魏	元	明
三河			李恭 鴻臚寺序班，隨正統北征，土木之變，不離
武清			王時化 陝西西安府訓導，流寇入城，罵賊死。（武
寶坻		楊格濟格 原作傑只哥家。詳傳。	楊一訓 生員，嘉靖間，兵變，其母被執，一訓與賊格
甯河			
昌平	寇祖禮 都督，討蠻戰殁。贈衛大將軍。（一統志）		邢嘉遇 泰陵衛指揮，崇禎甲申，守西城，力戰死。
順義			
密雲			吴秉直 密雲中衛副千總，隆慶二年，敵攻灤河營，
懷柔			

左右，卒死於難。贈光禄大官署丞。

朱國彦　薊鎮三屯營總兵，崇禎甲申之變，北拜自縊死。（以上三河陳志）

清吴志）

鬬，死，其母獲存。

郝有光　生員，崇禎間，事急，冒刃死。

郝翀　與有光同日死。

芮圖南　生員，負母出走，遇兵不屈，死。

牛鎖　城陷，自

邢協中　嘉遇子，隨父戰死。

薛綬　嗣父爲永順伯，正統間，遇寇於鷂兒嶺，戰敗，賊支解之。（以上畿輔唐志）

魯欽　永陵衛千户，歷官川貴總兵，征奢

戰陣亡。贈指揮同知。

劉璽　詳傳。

劉志高　密雲後衛千户，古北口千總，嘉靖二十九年，率師遏敵，力戰，死。贈指揮同知。

張繼祖　密雲後衛指揮同

刎死。

芮大年

居圍城中，以勞卒。

徐振奇

生員，崇禎間，禦兵死。

芮國大

隨父乘舟遇賊，冒刃代父死，其父得免。（以上寶坻洪志）

寇陣亡，賜祭葬，立祠，世襲京衛指揮。

王忠

宣府總兵，陣歿。

張福安

遵化右營參將，陣亡。加陞指揮。

蘇時雨

火器營都司，戰歿。

張四貴

知，任潮河川舊營把總，嘉靖二十九年，率兵迎敵，陣亡。

陶宗儀

崇禎年間，任遼東甯前衛副總兵，城陷，殉難。贈鎮國將軍，謚忠毅。

陶宗顔

宗儀弟，贈校尉。

永陵衛世職，長峪城守備，崇禎末，守城，號令嚴明，賞罰必信，城陷，自刎死。

張雲鵬　泰陵衛副千户，崇禎己巳，勤王戰歿。

劉應召　萬曆甲辰進士，河南潁川兵

陶　熊　宗儀姪，贈忠顯校尉，均隨宗儀殉難。

文　明　宗儀僕，同殉難。

吴道泰　總河中軍，勤王賊陣亡。

劉　臣

王　昇

郭　祥

梁　玉

備道，崇禎丙子，投井死。

白繪 昌平道守備，崇禎末，以守城戰殁。

潘文元 山東德州都司，崇禎末，守城戰殁。

司應龍 歲貢生，崇禎丙子，死難。

郝九功

殷寬 千户。

谷壽

牟滋 七人皆在古北口陣亡。（以上密雲薛志）

唐文運 甲申之變，飲酖死。（畿輔唐志）

貢生，賢良方正，崇禎丙子，城陷，死難。

張宏化 廩生，崇禎末，闔門殉難。

邵承祖 崇禎末，殉難。

白守恭 廩生，崇禎末，率闔家婦女殉難。

白希朱

白希繪
守恭子，俱廪生，隨父死。（以上昌平宋志）

劉汝樸

王政行
二人，迎葬明帝后，各傾資産，親奉畚揭，光緒八年四月，禮部奏請入忠義祠。（以上采訪册）

國朝

徐大淳　河南衡州都司，道光年間，從軍廣西陣亡。

鄭文禮　浙江外委，咸豐十年，杭州城陷，陣亡。

李鳳韶　山東淄川縣知縣，縣爲賊據，往説降，遇害。

杜懋哲　岷州知州，回寇之變，不屈，死。贈按察司副使。（畿輔唐志）

王炳　廣東平遠縣知縣，咸豐十年，髮逆攻平遠，督兵巷戰，陣亡。

王升

周國衡　四川秀山縣典史，乾隆年間，金川之役，委赴澤耳多炭廠調撥炭夫，適賊番攻圍，衝出遇害。贈主簿。

張雙　署山西山永協司廳外委，咸豐年間，粵匪犯天

張家榕　山東候補典史，告假回籍辦團，咸豐十年，禦賊陣亡。

張起昇　湯泉營把總，咸豐八年，在江浦陣亡。

虎世德　湯泉營經制外委，咸豐八年，在山

毛毓奇　提標前營外委，咸豐三年，在揚州陣亡。

蔡英輔　提標左營千總，咸豐三年，在山東臨清州陣亡。

郭茂林　建昌營千總，咸豐四年，在江南瓜州

谷慶奎　安徽從九品，守省東門，城陷，陣亡。

王魯廷　陝西三原縣知縣，同治庚午，回匪破城，闔家殉難。

王承堃　五品軍功，同治六年，隨官軍在陝西安塞縣與回逆接

李升　張玉　林安　俱王炳僕，隨炳在平遠死。（以上采訪册）

津，力戰陣亡。

周文輔　河南候補外委，咸豐年間，髮逆擾河南，力戰死。

張驥元　安徽歙縣知縣，咸豐五年，粵匪至，晝夜防禦，城陷，自縊死。贈知府銜。

東臨清州陣亡。

王家禄　天津守備。

王永興　湯泉營經制外委。皆咸豐九年，在江南六合縣陣亡。（以上宋志）

陣亡。

胡其振　建昌營千總，咸豐五年，在江南虹橋陣亡。

袁得名　甘肅鎮羌營游擊，咸豐八年，攻江浦地方，陣亡。

趙樹棠　山東德州營參將。

哈桂湘　儘先游擊。皆咸

仗，陣亡。
劉十利 善技擊，馬賊入境，揮雙刀殺賊無算，力竭陣亡。
漢軍世輝 七品軍功馬甲。
漢軍毓麟 武舉。
張大有
張永富

楊德 山西山永協蒲河營狼窩口千總，咸豐年間，在安徽潁州府北關勦賊，陣亡。
劉潤之 生員，咸豐年間，從戎江西，在泰和縣勦賊，陣亡。
趙有勝 參將。
劉珍
張文忠

豐九年，在江蘇六合陣亡。
任式坊 詳傳。
海明 署提標右營游擊，咸豐二年，在江蘇揚州陣亡。
多隆武 花翎協領，兼前鋒翼長，謚剛介。
玉崑

大有子。
陳永才
齊忠
于瑞
程坤
于永
王元隆
劉琪
王元錦
劉永春
劉殿邦
武生。皆
同治六年

楊文會
孟義
蘇振遠
郝玉文
宋和順
張國泰
薛德福
侯富春
李朝臣
曹良順
李謙
曹良登
張崑

副將銜協領，兼前鋒翼長，謚武節。
烏勒西
松阿
烏勒西
春
額爾格
春 皆藍翎驍騎校。
額勒春
花翎佐領。
奎豐
藍翎防

十一月，梟匪入境遇害。（以上蔡志）

李相
甯升
高均
李國富
錢友化
王富有
李泰
李鰲
史國楹
王友德
曹良德
史兆恩
王安

禦，皆咸豐七年，在河南、安徽等處陣亡。
富爾遜　佐領。
瑞明　雲騎尉，同治元年，在陝西同州陣亡。以上皆駐防密雲滿蒙營員。
黃金友
阿克東

田尚德
李德元
孔懷來
李　雲
錢　喜
高均發
李長順
張　老
李老五　皆咸豐十年，殉難。（以上甯河丁志）

阿　皆提標左營游擊。
劉承翼　提標右營守備。
常　麟
李　福　皆提標中營千總。
韓興邦
張振威
張志泰　皆提標右營千總。
劉榮陞

郭毓良 皆提標中營把總。
金　榮
史進孝
翟廷棟 皆提標右營把總。
杜　芬 提標城守營把總。
陳志永 提標前營外委。
張春生
林集貴

計智勇

何彩川

宜春　皆提標右營額外外委。

武維貞

武全　皆提標前營額外外委。

明安泰

李如　皆提標經制外委。

張玉寶

邢立起
李慶錫　皆提標外委。
朱起順
杜　芳
郭殿甲
王榮陞　皆提標額外外委。
李　寬　隸營伍陣亡。
郝德徵　武秩，出師河南陣

	表三	燕
	涿州	悉羅騰 尚書郎，仕於慕容暐，復爲吴王垂參軍從事。及暐爲秦所滅，隨徙長安，與暐潛謀
	房山	
	霸州	
	文安	
	大城	
	保定	
亡。郝德瑞 德徵弟，病歿於軍。（以上密雲丁志）	薊州	
	平谷	

	宋	元	明
殺堅，堅覺，殺之。（涿州吴志）		**劉世英** 襲絳州節度使，金將移剌副樞攻絳州，城陷，死之。（吴志）	**馮傑** 四川兵備副使，川中賊起，
			李時芫 吏部郎中，分守常鎮右參
			李崇德 刑部郎中，居憂遇變，城
			韓東明 邠州知州。 **張維綱**
	高彦暉 詳傳。	**徐猱頭** 元末，兵入城，赴火死。（元史列女傳）	
			黄綬 宣德中，官山東道御史。英

屢有功，後深入賊巢，陷陣，死。

李芳芬 武城縣知縣，崇禎末，流寇攻掠，芳芬固兵禦寇，閲數月，糧匱，芳芬冒矢刃捍敵，城陷，被執，不屈，引頸受刃，賊衆歎息，爲火而瘞

議，罷歸，崇禎十五年，殉難，贈太僕卿。（一統志）

王國興 新城伯。崇禎十七年，京城陷，自焚死。

王□ 國興子，隨父死。

王印懋 甯武兵備道，流寇

破，死之。

王膺 舉人，歲戊寅分汎，城破，死之。

井俠 霸州道標中軍，加都司銜，壬午，城破，死之。

靳斗光

靳斗華 斗光弟，崇禎年

平涼通判。

張爾翬 舉人。

孫從範 舉人。以上皆崇禎十七年，流寇陷城，死。（一統志）

劉渠 詳傳。

王珍 河南禹州州判，闖賊破城，被執，罵

宗北征，切諫不聽。扈駕至土木，死之。（畿輔唐志）

	國朝
之。張彪 文生，都城陷，謀舉義兵，爲賊所殺。（甲申傳信録）	趙遜 雍正七年，奉調車騎營，死於軍
	常蒓 饒陽縣教諭。同治七年，捻逆竄陷饒
陷城，擁印懋至營，許以大同巡撫，不屈，自刎死。（以上霸州朱志）劉星毓 生員，崇禎辛巳，城破，被殺。（保定成志列女傳）	王之珙 山東青城縣知縣，山賊破城，不屈，
間，死難。（文安楊志）陳所問 平度州知州，孔有德破萊州，死之。（勝國殉難諸臣録）	高光祖 武生，衛千總銜。高鳴韶
	薛溥 湖廣鄖陽縣知縣，爲賊所執，不屈，
賊，死。（保定成志）	
	康萬民 江西巡道，金逆之變，困城中，與
	王札 甘肅靜甯州知州，康熙十三年，總兵

中。（吴志列女傳）

楊開第 山西平垣營守備，嘉慶年間，出軍陝甘，奉委偵探賊踪，爲賊所見，與同行二人遇害。

姚用書 湖北候補知府，奉委巡視江防，舟覆於水而

陽，罵賊被戕。

常履剛 蕪子，文生，隨父殉難。（以上采訪册）

遇害。民間立祠祀之。（霸州周志）

賈允恭

賈元隆 允恭子。

賈增仁

賈增濂

賈增禄

賈增才 俱允恭孫。

賈允昇 允恭族兄。

武生光祖子。

王寶書 生員。

王芳譜 生員。

高象乾 五人，於同治六年八月，梟匪竄擾，帶勇禦賊，均被慘殺。

王式曾 同治六年，居東安，梟匪

死。贈湖廣按察司僉事。

李　福 選補校尉，從征被創身死。贈義勇衛指揮。（以上大城張志）

賈毓珩 生員。

薛樹貞

薛百通

薛天衢

全家俱遇害。（薊州沈志）

王輔臣叛，札單騎往諭禍福，賊黨脅之，不屈，遇害。（平谷朱志）

陳文元 從戎連鎮，殁於王事。（王志列女傳）

殁。贈太常卿。

楊嘉運　湖北隨州知州，捐資募勇，屢殲捻逆，咸豐四年，以追賊遇伏，陣亡。

王萬齡　署河南嵩縣知縣，咸豐七年，捻逆竄縣境，嵩蕞爾山城，無兵

賈有用

賈有成　允恭族孫。

賈老龍　允恭族曾孫。

馬玉桂

馬玉豐　玉桂弟。

趙殿元

趙　喜

王士元

杜殿元

王福成

竄至，被脅，不屈，死。（以上采訪冊）

商義忠

張　士

邵天成　皆同治六年，梟匪竄擾，罵賊，被殺。

劉炤巖　副貢生。

張樹鈞

袁永達

張萬山

張　平

常潤堂

李中和

與餉，乃捐貲募勇，製械迎擊獲勝，卒以衆寡不敵，力戰被創，陣亡。事聞，贈道銜。

王治國 長溝汎外委，咸豐七年，防堵海口，陣亡。

張　耀 詳傳。（以上州

高　柱
李春立
杜麻子
蔣成章
蔣成立
蔣天瑞
崔世林
董　立
張車子
王胖子
潘車子
劉　訓
趙　義

張致景
梁大起
梁羣和
梁牛子
崔國慶
韓　貴
崔連峰 采訪冊作連寶。
孫海山
馬禿子
楊希彥
魏海青
朱　謀

志）

蔡　賓　咸豐三年，武昌城陷，罵賊，死。

陳德順　本州城汛外委，咸豐十一年，調赴三河鎮，以救主帥，故單騎冲入賊陣，被害。（以上涿州續志）

以上同治六年，梟匪入境時，率充練總練勇，皆禦賊死。（周志）

采訪册作謨。

韓福貴

劉向林

劉玉祥

劉樹祥

劉青山

劉保山　采訪册作寶。

劉泰山　采訪册作太三。

周天甲

周振春

周振方
王得山采訪册作德三。
李治文
梁鳴臯
王廷節
楊七子
王國令
王善令
王光斗
王國義
王玉照
王長山

王四倍
王牛
劉景照
劉兆貴
張榮五
張萬秋
張萬千
張拴子
張大格
張國祥
楊長善
岳汝成
岳大格
高永春

高太和
李大會
喬太安
竇世恩
姜鳳春
蕭貴良
甯貴發
楊　志
趙毓棟
采訪册作玉棟。
楊大林
楊毓藻
劉萬青

劉萬福
薛樹棣
薛百福
薛永發
商得芳
商有德
王福順
王福成
任士勇
皆同治六年，梟匪竄擾，力戰陣亡。
（以上忠義局册）

人物志三十一

江陰繆荃孫纂　德清傅雲龍覆輯

鄉賢表

周禮五善，曰旌賢能，誠以老成典型，故家遺俗，生則推爲祭酒，没則祀於瞽宗，閭里於以尊榮，山川爲之生色，誠足儀型末學，興起後人。聖清祀之黌宫，列於令典。子弟上躋三品，則請託宜防；時代勿越卅年，則聲光未茂。均予限制，無有濫充。禮亦宜之，典至渥也。爰稽縣志，彙爲此表，其事蹟有列傳者，兹不複述。作鄉賢表。

朝代	大興	宛平	良鄉	固安	永清	香河	東安	通州
魏	徐邈 有傳。							
晉			霍原 有傳。	張華 有傳。				
梁				張宏策				

				有傳。				
唐	魯炅 有傳。			張知謇 有傳。				
晉	趙玉 有傳。				龍敏 有傳。		呂琦 有傳。	
周							扈載 有傳。	
宋	宋琦 有傳。 宋雄 有傳。 馬知節 有傳。					李惇頤 有傳。	扈蒙 有傳。 呂餘慶 琦子，有傳。 呂端 餘慶弟，有傳。	

遼	金	元
	王師揚 有傳。	劉德温 有傳。
張儉 有傳。 劉伸 有傳。	劉彥宗 有傳。 劉仲誨 彥宗孫，有傳。	張九思 有傳。
楊績 有傳。	韓懿	梁斗南 有傳。
		李天翼 有傳。
	杜時昇 有傳。	史秉直 有傳。
張衍 有傳。	蒲哥 金哀宗時人，事君以忠。	
韓延徽 有傳。 韓紹芳 延徽孫。	劉徽柔 有傳。	李士瞻 有傳。
郭世珍 滹人，太尉。	馬諷 有傳。 賈少沖 有傳。 張亨 有傳。 馬惠迪 有傳。 崔禮 有傳。	郭汝梅 世珍元孫，有傳。

	明
宋本 有傳。 宋褧 本弟，有傳。	劉中敷 有傳。 張邦紀 有傳。 朱之馮 有傳。
曹鑑 有傳。 張誠 有傳。 梁有 有傳。	張翰 有傳。 何選 有傳。 劉文炳 有傳。
梁恭 斗南子。 梁德珪 官至參知政事。 梁陟 以名儒徵，領燕京編修所事。	趙錦 正德丁丑進士，官至兵部尚書。 楊秦
	張宗素 有傳。 楊和 成化丙午舉人。 王復 有傳。
史天倪 秉直子，有傳。 史天澤 天倪弟，有傳。 杜瑛 時昇子，有傳。 張思 有傳。	張坤 有傳。 裴成錦 有傳。 郝永 有傳。
	王宣 有傳。 劉渙然 荐授濟南府同知。 李亨廷
李繼本 士瞻子。	施禮 洪武中進士，刑部尚書。 紀諄 官左布政
王和用 有傳。 李德輝 有傳。	董方 有傳。 岳正 有傳。 朱銳 景泰二年

鞏永固　有傳。
金　鉉　有傳。

有傳。
張　銓　有傳。

楊維聰　和子，正德辛巳一甲一名，官至太僕寺卿。
楊維傑　維聰弟，嘉靖丙戌一甲二名，官至翰林院侍讀。
蘇光皋　有傳。
張承敘　嘉靖甲辰進士，江

有傳。
李永春　官按察使副使。
王仕華　館陶訓導。
王永貞　貢士，均州州判，有孝行。
程惟遠　有傳。

使。
李　侃　有傳。
施　純　禮子，官給事。
周尚文　舉人，有孝行。
孟　旭　貢士。
吳　棟　正德進士。
許復禮　正德進士，官至

進士，工部郎中。
孫　節　成化元年舉人，山西稷山知縣。
楊奉春　成化十一年進士，工部主事。
顧大章　宏治年舉人，西安通判。
周　棨　有傳。

西臨江府知府。

張允濟 嘉靖壬戌進士，山東巡撫。

傅好禮 有傳。

郭光復 萬曆己丑進士，都察院右副都御史。

祖志伊 萬曆戊子舉人，四川茂州知州。

河南布政使參政。

張文舉 嘉靖舉人，鄭州知州。

劉體乾 嘉靖進士，南京兵部尚書。

李　錫 進士。

邵鳴岐 嘉靖舉人。

施爲霖 禮孫。

甯　河 宏治十八年進士，信陽兵備道。

蘇　雄 貢生，山西按察司僉事。

張　欽 有傳。

楊行中 有傳。

王時舉 有傳。

張汝濟 隆慶元年

李天祥　萬曆戊子舉人，浙江杭州府同知。

于進善　萬曆甲午舉人，官河南柘城縣，殉難。

楊春元　有傳。

李時康　貢生，内黄縣教諭，殉難。

郭九團

黄宗周　萬曆舉人，官金州海防同知。

舉人，山東蒲台知縣。

張　祥　萬曆四年舉人，山西甯武縣知縣。

馬經綸　有傳。

蔡成已　萬曆十七年進士，官至刑部主事。

雷應科　貢生，山西五台縣

光復子，貴陽府知府。

崔玉乾 有傳。

知縣。

羅永春 萬曆二十四年舉人，紹興府同知。

楊　鎬 萬曆三十七年舉人，山東泗水縣知縣。

張樫芳 萬曆四十四年進士，吏部文選司郎中，殉甲

國朝	
張　烈 有傳。	
高　裔 有傳。	
楊之炳 有傳。	
吴　春 有傳。	
賈　鋐 有傳。	
袁邦化 山西沁水	
張定國 有傳。	
任希尹 崇禎十六	中之難。 雷起龍 萬曆四十四年進士，官至刑部郎中。 張文焌 諸生。 雷應禹 應科弟，諸生。 劉廷訓 有傳。

孫承澤 有傳。 趙明徵 有傳。 朱之弼 有傳。 劉獻廷 有傳。 朱文炳 有傳。 朱　筠 文炳子，有傳。 朱　珪 筠弟，有傳。 翁方綱
王崇簡 有傳。 王　熙 崇簡子，有傳。 查　禮 有傳。 王　源 有傳。
張　楨 有傳。 賈　澎 鋐子，有傳。
丞。 袁懋德 邦化子，有傳。 袁懋功 懋德弟，有傳。
李永貴 有傳。
年舉人，陝西中部縣知縣。 張文輝 文焌弟，崇禎七年進士，官建南道，殉難。 丁林聲 有傳。 張士甄 文焌子，有傳。 張士垍 士甄弟，附傳。 張士堯

有傳。

士甄弟，貢生，山東高苑縣知縣。

張鴻猷　順治十八年進士，廣西提學僉事。

雷一龍　有傳。

雷湛　一龍從子，附傳。

楊正中　有傳。

王公擢

順治二年舉人，官推官。

尹肅京

有傳。

朱綸

有傳。

杜繼召

順治十五年進士，廣西馬平縣知縣。

李含春

順治十一年進士，保定府教授，官至鴻臚寺

卿。

王簡文　康熙二十七年進士，知武甯，縣人爲立生祠。

康　莊　順治十一年舉人，由教諭遷兵部主事。

魏繼雲　順治五年舉人，官吳橋教諭，遷永豐令。

張文美　貢生，南和訓導。

陳震元　康熙二年舉人，廣西貴縣知縣。

劉培　康熙二年舉人，廣東臨高縣知縣。

王大鶴　有傳。

雷鐏

		漢	三國魏	魏
	三河			高閭 有傳。
	武清		田豫 有傳。	
	寶坻			
	甯河			寇讚 有傳。 寇儁 讚子，有
	昌平	寇恂 有傳。		
	順義			
	密雲	蓋延 有傳。 王梁 有傳。		
有傳。 雷學淇 鐏子，有傳。	懷柔			

	北齊	唐	金	元
			劉　樞 字居中，進士，官至中都路轉運使。 馬百禄 有傳。	
				王德仁
			馬　琪 有傳。	楊格濟
傳。	張　耀 有傳。	蔡廷玉 有傳。 劉　蕡 有傳。		
				何　失
				石天麟
				趙伯敬

	明
	郭習 舉人，官至江西左參政。 喬友 以孝聞，官揚州府經歷。 蕭鋭 舉人，官
官遂州同知。 劉秉直 有傳。	王三共 有傳。 趙連璧 字載環，有孝行，耽著述。 趙完璧 字復環，連璧弟，任山西榆
格 有傳。 朱國寶 有傳。 劉深 官中書左丞。	高敏學 有傳。 蔡完者不花 都指揮僉事。 李肇 太學生，杭州知府。
有傳。	孫祖壽 有傳。
有傳。	李慶 有傳。 李賓 有傳。
知薊州。 楊佑 檀州采金都提轄。	李璣 官光禄寺典簿，五世同居。 李琚 六世同居。 田仁遠 歲貢。官壽陽縣。
	王嘉猷 有傳。 成德 有傳。

懷慶府通判。

邢昭 有傳。

劉金 進士，官至山西左參議。

蕭選 字廷舉，進士，官至都察院右僉都御史。

王楠 進士，官至南京太僕寺卿。

次縣主簿。建祠祀之。

柴愚 太學生，御史。

韓士舉 平陸丞。

劉英 有傳。

李素 永樂癸卯舉人，授御史。

朱德 官至參政。

趙瑗 太學生，刑部主

劉萬里 廩生。

喬伊　有傳。

張文運　進士，官至禮部精膳司主事。

事。

王鏜　宣德乙卯舉人第一，官至浙江按察司。

芮釗　有傳。

呂欽　景泰癸酉舉人，山西大同知縣。

王傳　成化乙未進士，御史。

牛　魯
宏治乙丑進士，官至户部郎中。

龐　淳
正德丁丑進士，官至徽府長史。

高敏學
有傳。

芮元采
嘉靖壬子舉人，青城知縣。

郝鳴陰
嘉靖甲辰

舉人。

苑囿　嘉靖癸丑進士，官至郎中。

芮質田　選拔陝西醴泉縣知縣。

牛夐　年百歲。

苑時葵　萬曆庚辰進士，山西陽曲知縣。

王好善　有傳。

	國朝
	王大 有傳。
	趙之符 完璧子，有傳。 趙璘 之符子，有傳。 趙珣 璘弟，有傳。 趙琮 璘弟，康熙癸未進士，内邱教諭。
鄧光復 浙江山陰教諭。	杜立德 有傳。 杜立本 立德弟，有傳。 杜恭俊 立德子，坿傳。 楊雍 有傳。 王鼎吕 有傳。 劉兆麟 順治辛丑
	艾子誠 有傳。 廉驥元 有傳。 劉毓珍 有傳。
	王政行 劉汝朴 楊應震 三人皆任葬明懷宗者。 徐化成 有傳。 陳浩 有傳。
	任毓麟 貢生，官廣平縣訓導。

		漢	後漢
	涿州	韓嬰　有傳。	盧植　有傳。 高誘　有傳。
趙瓚　璘弟，有傳。 李煒　有傳。	房山		
進士。 劉兆麒　官至崇明鎮總兵。 芮昌齡　有傳。 芮淮　廩貢生。	霸州		
	文安		
	大城		
	保定		
	薊州		
	平谷		

三國	晉	齊	後魏
張飛 有傳。 簡雍 有傳。	盧欽 有傳。		盧元 有傳。 酈範 有傳。 酈道元 範子，有傳。
		鮮于文宗 有傳。	

北周	盧　辯 有傳。			周惠達 有傳。				
隋							榮　毗 有傳。	
唐	盧　鴻 有傳。 高霞寓 有傳。 張仲武 有傳。	李景略 有傳。按：唐之良鄉，今之房山也。			董　芳 峩眉令。			
五代周							竇禹鈞 有傳。	
宋					張　暉 有傳。	張　玉 有傳。	竇　儀 禹鈞子，有傳。	

	金	元	明
	王翛 有傳。	張子良 有傳。	李斆 有傳。 李儀 有傳。 頓鋭 有傳。
	張天綱 有傳。	宮君祺 當時大儒。	張煥 官陝西布政使。 張恕 成化辛丑進士，官至南京兵部尚書。
		王伯勝 有傳。 張伯用 有傳。	邢表 有傳。 紀常 有傳。 王儀 有傳。 王佩
		劉寬	王亮 宣德丁未進士，河南左布政使。 傅吉 宣德舉人，監察
		張榮實 有傳。 郭貫 有傳。	楊常 永樂戊子舉人。 宋相 官太僕寺卿。 王誥
竇儼 儀弟，有傳。			劉聰 有傳。 歐信 有傳。 燕忠 有傳。
	巨構 平谷人。		金純 有傳。 張禬 有傳。

張采儀　宏治辛酉舉人，河南陳留知縣。
李玳　嘉靖庚戌進士，陝西右參政。
隆文良　嘉靖戊子進士，山東曹縣知縣。
王遴　有傳。
王樂善

有傳。
王原　有傳。
邢孔陽　有傳。
何呈瑞　有傳。
王楫　力行善事，爲鄉里所稱。

御史。
梁材　宏治己未進士，官户部尚書。
馬慎　有傳。
馬亮　宏治舉人，山西大同府通判。
王紹　宏治舉人，北京中府經歷。

有傳。
馮鉞　字民衛，嘉靖乙酉舉人，河南柘城知縣。
柴守正　字本中，嘉靖丙戌進士，官德州糧道。
王顯忠　字元孝，嘉靖辛丑進士，官至山西左參政。

遴子，萬曆壬辰進士，吏部主事。

劉爲楫 萬曆丙戌進士，刑科都給事中。

王承賜 諸生。

張士雅 萬曆庚戌進士，官户部郎中。

王遠宜 承賜子，萬曆辛丑

孟錡

劉鉞

李淮 官河南鄢陵縣主簿。

李松 淮子，有傳。

王潤 萬曆丁酉年貢，河南鄧州知州。

劉大受 鉞子，嘉靖乙未進士，官至

劉餘澤 官户部主事，孝友。

進士，官至工部侍郎。

李　汲　諸生。

郝鴻猷　萬曆己酉舉人。

張　玘　官泰安州鹽運使司同知。

王印懋　崇禎辛未進士，官至甯武兵備道。

太常寺卿。

王　勳　萬曆年貢生，官臨城縣訓導。

李應魁　萬曆壬辰進士，山東按察使。

國朝

米萬祺 有傳。
劉芳躅 有傳。
劉芳喆 芳躅弟，有傳。
朱一鳳 康熙己丑進士，官至兩淮鹽運使。
楊燕緒 有傳。
盧　坤 有傳。

郝　傑 有傳。
崔士瞻 諸生，孝子。
郝　俊
崔應鳳 有傳。
郝惟訥 傑子，有傳。
郝惟訓 有傳，傑子附傳。
郝士鉽 惟訓子，坿傳。

王守明 坿見景祚傳。
王景祚 守明子，有傳。
高光夔 有傳。
陳　慎 有傳。
陳　協 慎弟，有傳。
紀　愈 有傳。
紀汝彝 有傳。

薛　溥 貢士，湖北保康縣知縣。
劉漢儒 有傳。
劉　楗 有傳。
馬　壯 順治十五年進士，浙江德清縣遷廣西全州。

劉克家 有傳。
劉克讓 克家弟，有傳。
劉銓澤 孝子。
岳毓粹 貢生，官遷安訓導，多隱德。
李可翹 有傳。

李孔昭 有傳。
程天祐 崇禎壬午，收遺骸作家，力行善事。
程天才 天祐弟。
趙成秀 年五十無子，購一女，將納爲妾，閔其士族而嫁之，後妻亦舉二

徐　進 貢生，官盧龍縣訓導。
孟玉聲 有傳。

吴邦慶　有傳。
樊宗顯　孝子。 陳儀　有傳。
子，厚德足爲閭里風。

華陽吴祖椿校

藝文志一

紀録順天事之書

江陰繆荃孫纂　德清傅雲龍覆輯

古者誦訓，掌方志，以詔觀事，以知地俗，閭胥黨正，考其德行道藝。三年獻書，登於天府，後世史家遂别爲雜傳、地理兩類。紀録順天事，見於史志者，以燕十事爲始，而燕丹子亦賓客所記，非太子自撰。金、元建都，序述愈盛，證今稽古，薈萃成編，遵雲南通志舊例也，志紀録順天事之書。

周

燕春秋

佚

墨子明鬼下引燕春秋云：昔在燕，簡公殺其臣莊子儀而不辜。莊子儀曰：吾君王殺我而不辜，死人毋知亦已，死人有知，不出三年必使吾君知之。期年，燕將馳祖。燕之有祖，當齊之有社稷，宋之有桑林，楚之有雲夢也。此男女之所屬而觀也。日中，燕簡公方將馳於祖塗，莊子儀荷朱杖而擊之，殪之車上。按史記：簡公，平公子，周敬王（十）六年、公元年立，十二年卒。敬王十七年，魯定公之七年也。

列國

燕丹子三卷　隋志一卷　新唐志三卷　舊唐志三卷　宋志三卷　四庫全書存目三卷

存　孫馮翼問經堂刊本　孫星衍岱南閣本　平津館校正本

孫星衍序云：燕丹子之著録，始自隋經籍志，然裴駰注史記引劉向別録云：督亢，膏腴之地。司馬貞索隱引劉向云：丹，燕王憙之太子。則劉向七略有此書，不可以藝文志不載而疑其晚出。古之愛士者，率有傳書，由身没之後，賓客紀録遺事，報其知遇，如管、晏、吕氏春秋，皆不必其人自著，則此書題燕太子丹撰者，舊唐書之誣，亦不得以此疑其僞也。其書長于敍事，嫺于詞令，審是先秦古書，亦略與左氏、國策相似。學在從横、小説兩家之間，且多古字古義。云太子劍袂，以劍爲斂也。畢事于前，國策作畢使，𠭓，古文使，亦事字，見説文汗簡。右手椹其胸，蓋借椹爲戡，説文：戡，刺也。史記索隱引徐廣云：一作抗。抗又扰字之誤。説文：深擊也。史記及玉篇，椹從手，誤矣。拔匕首擿之。説文以擿爲投。玉篇，擲同擿，又作摕，古假借字也。國策、史記取此爲文，削其烏白頭、馬生角及乞聽琴聲之事，而增徐夫人匕首，夏無且藥囊，足證此書作在史遷、劉向之前。或以爲後人割裂諸書雜綴成之，未必然矣。

漢

燕十事十篇

佚

見漢志法家類，不著撰人。沈欽韓漢書疏證云：燕十事，疑是燕王定國獄事。

北齊

陽休之：幽州人物志三十卷。

佚

休之事蹟在雜人傳。北齊書本傳云：又撰幽州人物志，共行於世。隋志未著録。新唐書傳記類作幽州古今人物志三十卷。

隋

幽州圖經一卷按卷數據通志藝文略增。

佚

見隋志地理類，不著撰人。寰宇記河北道，屢引隋圖經，未知是此書，抑郎蔚之隋諸州圖經集？今無可考辨。

固安圖經

佚

隋志未著録撰人，卷數無考。御覽六十四引固安圖經云：易水又名安國河，亦名北易水一條。案漢之固安在今易州，隋開皇三年移治今地，改故爲固。圖經亦起於隋，非漢之故安矣。

幽都記

佚

隋、唐志不著録撰人，卷數無考。寰宇記六十九紫淵水引幽都記云：紫水，其泥亦紫。蜀先主宅引幽都記云：劉備，郡人，幼時宅中有桑樹如車蓋，云：我當乘此寶蓋。後果王蜀二條。

唐

平致美：薊門紀亂

佚

致美不知何時人，卷數亦無考。日下舊聞卷一、卷十七均引之，所引皆紀安史之事。

宋

平燕録一卷

佚

撰人無考，見通志雜史類，徐夢莘三朝北盟彙編卷十六亦引之。

王安中：入燕録

佚

安中事蹟見宦史傳。此書宋志未著録，徐夢莘三朝北盟彙編卷十六引之，紀宣和五年，安中除永清軍節度使兼知燕山府時事。

許採：陷燕記日下舊聞引用書目作賈子莊

佚

卷數無考。宋志亦未著録。見徐夢莘三朝北盟彙編，卷二十三、二十四屢引之，記宣和七年金人敗盟、陷燕山軍之事。

元

皇元建都記

佚

撰人、卷數無考。見錢氏絳雲樓書目，倪燦補三史藝文志，錢大昕元藝文志地理類。

内府宫殿制作

佚

撰人、卷數無考。見錢大昕元藝文志故事類。

熊自得：析津志典

佚

見盧文弨補遼、金、元藝文志地理類。自得字夢祥，豐城人，崇文監丞。日下舊聞張鵬序引熊自得燕京志，大約即此書也。
何中：薊邱述游録一卷
佚
見倪燦補三史藝文志，錢大昕元藝文志地理類。

明

蕭洵：故宮遺録一卷
存龍威秘書本 指海本 知不足齋本
洵，廬陵人，洪武初爲工部郎中，奉命隨大臣至北平，毁元舊都，因得徧閲經歷，凡門闕樓臺殿宇之美麗深邃，闌檻瑣窗屏障金碧之流輝，園苑奇花異卉峰石之羅列，高下曲折，以至廣寒秘密之所，莫不詳具該載。序次亦極典核。惜止載宮門以内，而大都宮城之制未詳，遺跡遂不可考，覽古者未免有餘憾也。
大都宮殿考
未見
王氏格古要論采故宮遺録，删削十之二三，爲更此名。

洪武北平圖經

佚

撰人、卷數無考。永樂大典卷八千四百二十平字韻載之。日下舊聞亦間引用。案：洪武元年，改大都路總管府爲北平府，隸山東行中書省。二年，置北平行省。永樂元年，改爲順天府。此書寔順天志所託始。朱彝尊博極羣書，猶未得見，其佚久矣。文淵閣書目署字號北平圖志，疑卽一書。

元掖庭記

佚

撰人、卷數無考。見日下舊聞卷三、卷十所引。

北平志四卷

佚

撰人、卷數無考。見文淵閣書目署字號第一厨舊志二册。

析津志

未見

撰人、卷數無考。日下舊聞考引用甚多。案：遼聖宗開泰元年，改幽都府爲析津府。宋宣和五年，改燕山府。金天會元年復名析津府。貞元元年即改大興府。此志明時所修，而曰析津，蓋取古名也。

北平府圖志

佚

無卷數，見文淵閣書目暑字號第一厨舊志一册。按：劉崧所撰者爲北平八府志，見地理類，例不入録。

劉崧：北平事蹟一卷

未見

見明志地理類。

大興縣圖志

佚

卷數、撰人無考。見文淵閣書目暑字號第一厨舊志一册。案文淵閣書目，正統六年楊士奇等編定，大約洪武以後所修，謂之舊志，永樂以來所修，謂之新志。逮明中葉，各州縣志均自謂創始，未嘗見此二志，并不知有修志之事。明人不學，亦可概見。迄今一部不存，卽天一閣、絳雲樓所收諸志，亦明中葉所修者，幸存此目，猶可略知梗概耳。

宛平縣圖志

佚

卷數、撰人無考。見文淵閣書目暑字號第一厨舊志二册。

良鄉縣圖志

佚

卷數、撰人無考。見文淵閣書目暑字號第一厨舊志二册。

固安縣圖志

佚

卷數、撰人無考。見文淵閣書目暑字號第一厨舊志二册。

永清縣圖志

佚

卷數、撰人無考。見文淵閣書目暑字號第一厨舊志二册。

東安縣圖志

佚

卷數、撰人無考。見文淵閣書目暑字號第一厨舊志二册。

香河縣圖志

佚

卷數、撰人無考。見文淵閣書目暑字號第一厨舊志二册。

昌平縣圖志

佚

卷數、撰人無考。見文淵閣書目暑字號第一厨舊志二册。按：昌平於正德元年升州，此志在正統前，猶名縣也。

順義縣圖志

佚

卷數、撰人無考。見文淵閣書目暑字號第一厨舊志二册。

密雲縣圖志

佚

卷數、撰人無考。見文淵閣書目暑字號第一厨舊志二册。

通州圖志

佚

卷數、撰人無考。見文淵閣書目暑字號第一厨舊志二册。

三河縣圖志

佚

卷數、撰人無考。見文淵閣書目暑字號第一厨舊志二册。

武清縣圖志

佚

卷數、撰人無考。見文淵閣書目暑字號第一厨舊志二册。

寶坻縣圖志

佚

卷數、撰人無考。見文淵閣書目暑字號第一厨舊志二册。

漷縣圖志

佚

卷數、撰人無考。見文淵閣書目暑字號第一厨舊志二册。按：漷縣，遼之漷陰，元升漷州，明洪武十四年降爲縣。此志以縣名，應在十四年之後。

霸州圖志

佚

卷數、撰人無考。見文淵閣書目暑字號第一厨舊志二册。

文安縣圖志

佚

卷數、撰人無考。見文淵閣書目暑字號第一厨舊志二册。

大城縣圖志

佚

卷數、撰人無考。見文淵閣書目暑字號第一厨舊志二册。

涿州圖志

佚

卷數、撰人無考。見文淵閣書目暑字號第一厨舊志二册。

房山縣圖志

佚

卷數、撰人無考。見文淵閣書目暑字號第一厨舊志二册。

薊州圖志

佚

卷數、撰人無考。見文淵閣書目署字號第一厨舊志二册。

平谷縣圖志

佚

卷數、撰人無考。見文淵閣書目署字號第一厨舊志二册。

鄒緝：燕山八景圖倡和詩一卷四庫全書存目

未見

緝，吉水人，永樂二年官左中坊左中允時，詩皆首倡，而翰林學士胡廣、國子祭酒胡儼、右庶子楊榮、右諭德金幼孜、侍讀曾棨、林環，修撰粱潛、王洪、王英、王直，中書舍人王紱、許翰等十二人和之，廣獨再和焉，共得百二十首。燕山八景始見於金明昌遺事。永樂大典載，洪武北平圖經亦具列其目。然如瓊島春雲作瓊島春陰，太液晴波作太液秋風，薊門煙樹作薊門飛雨，金臺夕照作道陵夕照，皆與此編所載名目不符。疑圖經所載，本元時舊名，而此編則明初諸人所改，而至今沿之也。

順天府志

佚

卷數、撰人無考。見文淵閣書目往字號第一厨書目新志一册。

大興縣志

佚

卷數、撰人無考。見文淵閣書目往字號第一厨書目新志。

宛平縣志

佚

卷數、撰人無考。見文淵閣書目往字號第一厨書目新志。

良鄉縣志

佚

卷數、撰人無考。見文淵閣書目往字號第一厨書目新志。

固安縣志

佚

卷數、撰人無考。見文淵閣書目往字號第一厨書目新志。

永清縣志

佚

卷數、撰人無考。見文淵閣書目往字號第一厨書目新志。

香河縣志

佚

卷數、撰人無考。見文淵閣書目往字號第一厨書目新志。

順義縣志

佚

卷數、撰人無考。見文淵閣書目往字號第一厨書目新志。

懷柔縣志

佚

卷數、撰人無考。見文淵閣書目往字號第一厨書目新志。

昌平縣志

佚

卷數、撰人無考。見文淵閣書目往字號第一厨書目新志。

東安縣志

佚

卷數、撰人無考。見文淵閣書目往字號第一厨書目新志。

密雲縣志

佚

卷數、撰人無考。見文淵閣書目往字號第一厨書目新志。

涿州志

佚

卷數、撰人無考。見文淵閣書目往字號第一厨書目新志。

房山縣志

佚

卷數、撰人無考。見文淵閣書目往字號第一厨書目新志。

通州志

佚

卷數、撰人無考。見文淵閣書目往字號第一厨書目新志。

三河縣志

佚

卷數、撰人無考。見文淵閣書目往字號第一厨書目新志。

武清縣志

佚

卷數、撰人無考。見文淵閣書目往字號第一厨書目新志。

寶坻縣志

佚

卷數、撰人無考。見文淵閣書目往字號第一厨書目新志。

漷縣志

佚

卷數、撰人無考。見文淵閣書目往字號第一厨書目新志。

霸州志

佚

卷數、撰人無考。見文淵閣書目往字號第一厨書目新志。

文安縣志

佚

卷數、撰人無考。見文淵閣書目往字號第一厨書目新志。

大城縣志

佚

卷數、撰人無考。見文淵閣書目往字號第一厨書目新志。

保定縣志

佚

卷數、撰人無考。見文淵閣書目往字號第一厨書目新志。

薊州志

佚

卷數、撰人無考。見文淵閣書目往字號第一厨書目新志。

平谷縣志

佚

卷數、撰人無考。見文淵閣書目往字號第一厨書目新志。

汪浦：薊州志九卷

佚

浦事蹟見官吏傳。成化十四年知州事，創修州志。遼史拾遺引之。

張遜：涿州志十二卷

佚

遜見職官表。成化二十一年知州事，始修州志，宏治癸丑刊行，翰林院陸簡序。

高惪：寶坻志

佚

惪見職官表。莊襗志序云：承乏寶坻，訪舊志以徵文獻于先哲，久而始獲，謄藁三十紙，乃前教諭高惪所撰，未克成書。

莊襗：寶坻志三卷

存　鈔本

襗事蹟見官吏傳。明宏治戊午襗爲令，因高惪所撰，偕教諭齊濟周、訓導錢冕搜剔遺隱，編輯成編。首卷起沿革，迄古蹟。中卷録勑命，紀文詞。下卷述題詠，附雜志。類十有二，目五十有三。

周通：通州志

佚

卷數無考。明宏治間州人周通采輯一州典故，修志稿若干卷，未梓。

劉坦：涿州志

佚

卷數無考。坦事蹟見官吏傳。正德間知州事，續修州志。

熊相：薊州志十八卷

未見

相見職官表。嘉靖三年任薊州兵備道，重纂州志，見天一閣書目、稽瑞樓書目，遼史拾遺卷十四亦引之。

王奉：保定志

佚

卷數無考。奉事蹟見官吏傳。嘉靖十八年知縣事，創修邑志成。志云奉注意縣乘以垂勸戒，雖未及刊刻成書，而一邑之文獻賴以不墜者皆其遺也。

汪有執、楊行中：通州志略

佚

卷數無考。有執事蹟見官吏傳。嘉靖二十四年知通州事，因州無志，與紳士議輯。邑人吏部尚書楊行中取周通舊稿，率諸生修輯，名曰志略，付梓。今志存行中一序。按：天一閣書目載順天府通州志八卷，沈明臣撰。州志自宏治以後，續修數次，頗甚詳備，并載序文，均未言及明臣此志。明藝文志則次揚州府志之下，高郵州志之上。疑明臣所修者，江南之通州，非順天之通州，而天一閣書目加順天府三字，則誤也。

蘇志皋：固安志九卷

未見

志皋事蹟見先賢傳。嘉靖甲子，何永慶知縣事，始議修爲志事，延志皋爲之。新志存志皋一序。據劉伸志、秦士奇序，當時已譏其未備矣，亦見稽瑞樓書目。

武德智：寶坻續志

佚

卷數無考。德智事蹟見官吏傳。唐鍊志劉思聰序云：邑之志，創于晉陵莊公，續于館陶武公，歲久而版籍放失矣。

胡與之：寶坻志

佚

卷數無考。與之事蹟見官吏傳，亦見劉思聰序，云繼修于浙姚胡公，竟未刻梓。

唐鍊：寶坻志九卷

未見

鍊事蹟見官吏傳。鍊嘉靖丙寅延邑人楊懐、李廷舄、苑因、芮蓂，旁搜確訪，俾成新志，定義例爲上下二編。洪志鍊傳云：嘉靖以上，其事蹟僅有存者，猶以此本故也。

史直臣：涿州志

佚

卷數無考。直臣，嘉靖丁未進士，官至按察司副使，曾撰州志。

周復浚：霸州志十卷

佚

復浚見官吏傳。嘉靖間官副使時修，自有序，見天一閣書目，州志宦蹟傳。

張文舉：東安志

佚

文舉，嘉靖辛卯舉人，官至鄭州知州，創修縣志，未及刊行。遼史拾遺卷十四引之。

安守魯：良鄉志六卷

佚

守魯事蹟見官吏傳。隆慶二年，以舉人宰良鄉，延邑人楊守正創修邑志，成書六卷，明末燬於火。今楊志存郭秉聰一序。

忽鳴：大城志略

佚

數無考。鳴事蹟見官吏傳。隆慶初年，樂安趙德光知大城縣事，欲修志未果。鳴以隆慶五年繼德光任，始成志略，是爲大城志之始。

隆慶平谷志

佚

撰人、卷數無考。任志李柱明序云：平邑有志，起於明隆慶之六年。朱志序云：平邑舊誌殘缺，未經釐訂。康熙六年，歲次丁未，邑令金公在陛數陳軼事，命工剞劂。雍正六年，歲在戊申，邑令項公景倩復爲採録，付之梓人，皆因前明隆慶遺文踵而續之。

楊霆：順義志

佚

卷數無考。霆嘉靖丙辰科進士，授行人，遷吏科給事中。隆慶間修本邑志，遼史拾遺亦引之。

徐貞明：潞水客談一卷

存 刊本

貞明字孺東，貴溪人，隆慶五年進士，歷官尚寶寺丞。父九思，官工部郎，治張秋河，築減水橋於河濱，工成，永爲利。趙文華出視師，九思不迎謁，坐以老致仕。貞明建言在爲工科給事中時，其言曰：神京擁據上游，兵食宜取之畿甸，今皆仰給東南，豈西北古稱富强地，不足以實廪而練卒乎？夫賦税所出括民脂膏，而軍船夫役之費，嘗以數石抵致一石，東南之力竭矣。又河流多變，運道多梗，竊有隱憂。聞陝西、河南故渠廢堰，在在有之，山東諸泉引之，率可成田，而畿輔諸郡，或支河所經，或澗泉自出，皆足以資灌溉。北人未習水利，惟苦水害，不知水害未除，正由水利未興也。蓋水聚之則爲害，散之則爲利。今順天、正定、河間諸郡，桑麻之區，半爲沮洳，由上流十五河之水，惟泄於猫兒一灣，欲其不泛濫與壅塞，勢不能也。今誠於上流疏渠濬溝，引之灌田，以殺水勢，下流多開支河，以泄横流，其淀之最下者留以瀦水，稍高者皆如南人築圩之制，則水利興，水患亦除矣。元虞集欲於京東濱海地築塘捍水，以成稻田，若倣集意，招徠南人，俾之耕藝，北起遼海，南濱青齊，皆良田也。宜特簡憲臣，假以事權，毋阻浮議，需以歲月，不取近功，或撫窮民而給其牛種，或任富室而緩其征科，或選擇健卒分建屯營，或招徠南人許其占籍，俟有成績，次及河南、山東、陝西，庶東南轉漕可減，西北儲蓄常充，國計永無絀矣。尚書郭朝賓以水田勞民，請俟異日，事遂寢。會以他事，外謫太平府知事，不能再疏理前説，乃於通州旅次作此書，設爲賓主問答之辭，編中不署名，伯繼亦其字也。以盡疏中之義。其略曰：西北之地，旱則赤地千里，淹則洪流萬頃，惟雨暘時若，庶樂歲無飢。此可常恃哉！惟水利興而後旱潦有備。利一。中人治生，必有常稔之田，以國家之全盛，獨待哺於東南，豈計之得哉！水利興則餘糧棲畝皆倉庾之積。利二。東南轉輸，其費數倍，若西北有一石之入，則東南省數石之輸，久則蠲租之詔可下，東南民力庶幾稍甦。利三。西北無溝洫，故河水横流，而民居多没，修復水利，則可分河流，殺水患。利四。西北地平曠，游騎得以長驅，若溝澮盡舉，則田野皆金湯。利五。游民輕去鄉土，易於爲亂，水利興則業農者依田里，而游民有所歸。利六。招南人以耕西北之田，則民均而田亦均。利七。東南多漏役之民，西北罹重徭之苦，以南賦繁而役減，北賦省而徭重也，使田墾而民聚，則賦增而北徭可減。利八。沿邊諸鎮有積貯，轉輸不煩。利九。天下浮户，依富家爲佃客者何限，募之爲農，而簡之爲兵，屯政無不舉矣。利十。塞上之卒，土著者少，屯政舉，則兵自足，可以省遠募之費，甦班戍之勞，停攝勾之苦。利十一。宗禄浩繁，勢將難繼，今自中尉以下，量禄授田，使自食其土，爲長子孫計，則宗禄可減。利十二。修復水利，則倣古井田，可限民名田，而自昔養民之政，漸可舉行。利十三。民與地均可倣古比閭族黨之制，而教化漸興，風俗自美。利十四也。其後貞明復官還朝，更申前請。廷議用其策，卽命貞明領之。又以浮議停止。非常之功，庸夫所駴，崇論閎議，迄今猶可舉行，未可以書生紙上之談薄之也。

崔學履：昌平志八卷

佚

學履，昌平人，見選舉表。官尚寶寺少卿。隆慶間曾修州志，徐序稱其簡括有體裁。遼史拾遺卷十四、日下舊聞卷卅四均引之。

萬曆重修平谷志

佚

撰人、卷數無考。任志李序，又云重修於萬曆二年。

張世則：密雲志

佚

卷數無考。世則事蹟見官吏傳。萬曆六年修，取邑人刑部主事祝文冕底藁爲之。遼史拾遺卷十四引作劉效祖密雲志卽此書。效祖官兵備道副使，官吏表無其名，僅見於吴佐密雲志鈔序。按：效祖四鎮三關志，成於萬曆初年，與此書時相先後，疑志前有效祖序，竹垞因以爲效祖撰也。丁志存世則自序。

馬永亨：房山志

佚

永亨見官吏傳。萬曆庚辰，永亨知縣事，延訓導晉州黄榜主修縣志，遼史拾遺卷十四、日下舊聞卷一百三十引之。

狄同熢：大城志

佚

卷數無考。同熢事蹟見官吏傳。同熢以萬曆九年任大城，十年延教諭劉遵、訓導張宏文重修邑志，分八綱，子目四十三，今張志存宏文一序。

阮宗道：東安志

未見

卷數無考。宗道事蹟見官吏傳。萬曆十年任東安，因文舉手輯舊本略有成業，特未加釐訂，剞劂成書。延訓導正定楊廷選、邑人邵鳴岐編摩補輯，再閲月而告成。日下舊聞引之，今李志存宗道、鳴岐二序。

王自謹：三河志十二卷

佚

自謹見官吏傳。萬曆十二年任三河，與邑人蕭九峰創修志事，成志十二卷，分十一門，曰天文，曰地理，曰建置，曰風土，曰財賦，曰典禮，曰官政，曰人物，曰選舉，曰武備，曰藝文。間有鈔本流傳。遼史拾遺、日下舊聞均引之。今陳志存自謹一序，九峰一跋。

陶允光：武清志

未見

卷數無考。允光事蹟見官吏傳。是志明萬曆丁亥允光爲令纂修邑志，延邑人許鋌、梁津主其事，五年始成，是爲武清志之創始。吴翀志末存允光原序云：自天文至雜志，總之爲綱也十，釐之爲目也五十有五。天文志而分野辨，地理志而形勝稽，秩祀志而大禮明，賦役有則，職官有制，鄉賢孝節之目昭，而人物之低昂，一展卷可具云云。其大略猶可概見。遼史拾遺引用書目作許鋌武清志，實纂修非鋌一人也。

梁太和：保定志

佚

卷數無考。太和於萬曆辛卯取王奉志重修刊行，是田志之所本。

董方：灤縣志

佚

卷數無考。方事蹟見先賢傳。創修灤縣志未成。

張祥：灤縣志

佚

卷數無考。祥事蹟見先賢傳。遼史拾遺卷十四引之。

徐玠：灤縣志

佚

卷數無考。玠邑貢生，官全椒知縣，創縣志稿，見艾志聶啟元序。

沈榜：宛署雜記二十卷

存刊本

榜見官吏表。榜於萬曆二十年任宛平，所撰純用志體，考證附各門之後。日下舊聞屢引之。序云：宛平二百年來無人紀述。則明初宛平圖志、宛平志皆未寓目者也。述古堂書目列于地理總志。

魏之幹：灤縣志

佚

卷數無考。之幹見職官表。萬曆二十一年任，聶序云：萬曆壬辰，先任邑侯武鄉魏公，曾屬不肖編摩。公三晉人豪，文尚簡潔，自出體裁，所敷陳時政，多不見採，更隨意嚴削，大意仿武功、朝邑兩志。

謝杰、沈應文：順天府志六卷

存（萬曆癸巳刊本）

謝杰事蹟見官吏傳。沈應文見職官表。是書杰修於前，應文踵於後，府丞譚希思、縣丞張元芳同編次，分六綱、三十七目，書止六卷，甚爲簡略。

郭造卿：燕史一百二十卷

未見

見明志地理類。

孫國敉：燕都游覽志四十卷

存（明刊本）

國敉，江南六合人，由貢生授延平訓導。是書考古證今，文詞爾雅，廣搜金石，更其所長。

蔣一葵：長安客話八卷

未見

見明史藝文志地理類。日下舊聞屢引之。

姚士粦：日畿訪勝録二卷

未見

士粦，海鹽人。萬曆甲午游京師時，尋訪都城内外諸勝，因彙輯成編。然所載古蹟，實皆鈔撮孫國敉燕都游覽志、蔣一葵長安客話諸書，不足資證據也。

史國典：懷柔志

佚

國典事蹟見官吏傳。萬曆二十九年知懷柔，延蜀人周仲士創修邑志。吴志序云：萬曆志類多浮辭，而實事反畧。如建置分合山川原本，見於史者，一一可考，而皆不載。人物、藝文二門，荒略尤甚。然吴志載仲士縣志論，志里社云：邑令史君爲余言，志所列里社鄉莊，燦然盈楮帙，其實無有也。生齒廛居僅見之城郭，而郵舍郊坰一望淒涼，草爲瓦，葦爲門，亂石爲壁，盡奔走若馬牛，而顛連爲魚鼈矣。間有一二浮屠衲子之宫，金碧輝映，問之，則曰：某中貴、某戚畹之所修也。若閭閻闤闠，顧安所得哉！夫煙火幾絶於千家，而誅求未休於一日，此司牧者所蒿目持籌而苦無良策者也。徭役云：今天下有名爲節省而其實有大不便於民者，則近日之清減條鞭是已。里甲之累，民易知也。以故改而爲條鞭，立法者貴其可繼，故改鞭之初，尚寬裕有餘，以俟有司之酌處。乃一二浮薄輩，倡爲節省之説，以媚上司之好，以圖一己之聲，而各欵盡爲裁減。減之又減，以至於必不能行，而各欵將終焉已乎？必不能終已，則私派里甲以濟之，大家爲掩耳盜鈴之計，其害有甚於加賦。余謂今日之裁革太甚，徒掣賢者之肘，而益以恣不肖者之無忌憚。良有司者酌其必不可已之欵，其請增焉，徭役稍得稱平乎？若牵節省之虚名，而以罔吾民，不仁甚矣。志學校云，士之蔍蓑詩書，耔耘經史，豈謂博一衿以詫鄉井市兒哉？正謂育之膠庠，升之巖廊，庶國家得所用，鄉邦有所範耳。何一旦隸籍博士，則棄呫畢如弁髦，委卷帙如芻狗？而且智逐錐刀，行甘駔儈，逋賦梗徭，重爲民厲。士而若此，是鄉之蝨，國之蠹，而民之莠也。夫庠序，以養秀民也，而莠民云乎哉！語曰：朝釋鐮，暮垂弁。蓋言變化之速也。士宜如何自處矣？志馬政云：案宏治八年兵部奏定馬政，順天府屬二十七州縣，各論免糧地畝，領養各處解俵備用馬匹，懷邑寄養馬四百四匹，每馬一匹，編地三頃四十四畝六分，每畝貼草料銀一分八釐。宏治九年，臺臣某以近畿役重民貧，疏請捐夫役，又疏停牧馬以示優恤。從之。祖宗之深仁厚澤，養民之惠若此。今寄養猶故，固不敢輕議。史君嘗言，編貼地較隣邑地數獨窄，是馬多而人瘠也，擬申請未遑。噫！令民者受人託而不牧與芻，究且馬與人均瘠矣。此四論皆具卓識，未必遜於吴志，惜其書不傳。遼史拾遺卷十四引之。

徐昌祚：長安里語一卷

存萬曆壬寅刊本

昌祚，字伯昌，常熟人。是編官刑部時所作，坿燕山叢録之後。四庫提要云：里語尤爲鄙俚，又多失其本字、本音，不足以資考證。按叢録載畿輔碎事，此篇專述京師，故棄彼取此。

艾友芝：漷縣志

未見

友芝事蹟見官吏傳。萬曆三十五年知漷縣，延邑人聶啓元、李鎧齋重修縣志，今通州志存啓元一序。

田龍：保定志

佚

卷數無考。龍事蹟見官吏傳。萬曆三十七年知縣事，續修縣志，分十一門，曰天文，曰方輿，曰典禮，曰建置，曰學校，曰田賦，曰官師，曰人物，曰節烈，曰藝文，曰災異。見成志序。

沈萬鈳：香河志

佚

卷數無考。萬鈳見職官表。萬曆四十二年知香河，創修邑志，未刊。

沈惟炳：香河志

未見

卷數無考。惟炳見官吏傳。萬曆庚申，惟炳因萬鈳重加修葺梓行，序有云：炳長兹二年矣，賦役繁重，萇楚已不堪聞，而悉索以供儲胥者，又似無底之壑，可爲殷憂者，鴻雁將盡集歟？楚茨將盡抽歟？萑苻之嘯聚盡弭，㩳蒲之呼引盡散歟？且也，文運晦冥，士鮮奪標之氣；武夫鈍敝，兵怯搴旗之威。運河之困難蘇，皮毛己盡；左道之愚難破，枝蔓將滋。有司者良心未死，業不能傳舍其官，路人其赤子，豈忍其積衰養釁，姑爲此悠悠忽忽之計，以待後日。顧令所欲爲者心耳，便宜之權上爲政，機會之適時爲政。上得一實心舉政之吏，誠萬不欲奪所當爲，而時危之不能爲安也，時窮之不能爲通也，時逝波之不能爲迴瀾也。一邑令烏乎與争？長年三老意有所欲適，而風帆不利，不得不望若而歎，此之謂耶？亦第不傳舍其官，路人其赤子，斯已矣。後之鏡斯志者，四境之憂具在目前，而指掌運之能不如今日者之徒痛心疾首乎？炳固謝事，猶慰也。讀此序，其時國事可知，亦難得此仁人之言矣。今劉志存惟炳、王豫立二序。

錢達道：霸州志十二卷

未見

達道見職官表。萬曆中知霸州事，創修州志，見稽瑞樓書目。遼史拾遺卷五亦引之。

袁黄：寶坻勸農書二卷

存了凡雜著本

袁黄事蹟見官吏傳。是編知寶坻縣時所作，嘗因賦役繁重，具疏乞減。其於利弊，素所究心，故語語親切，非同泛爲高論者。

鄭之城：東安志

佚

卷數無考。之城事蹟見官吏傳。天啟四年，任東安，與教諭蠡縣邊崙、訓導天津陳瑾加意蒐輯，新舊畢陳，掇於各欵之下，又從而詮次之，斷以萬曆癸未年爲始，續前令阮公之後，迄天啟乙丑而止。今存華琪芳、之城二序。

紀大綱：文安志。

佚

卷數無考。大綱事蹟見先賢傳。井焜序唐志云：近于紀泰安得給諫所纂縣志遺稿，雖越世久遠，而增修有據。

唐紹堯：文安志二十卷

未見

卷數無考。紹堯事蹟見官吏傳。紹堯，崇禎元年宰文安，延邑人井焜、紀克家任志事。焜傳云：縣爲九河下流，苦水患，故志於河渠獨詳。楊志存焜一序。

趙三極：薊州志

佚

卷數無考。三極見職官表。天啓間知州事。崇禎二年，與學正劉寰同纂州志。

秦士奇：固安志

未見

士奇事蹟見官吏傳。士奇以崇禎三年宰固安。自大兵之後，文卷俱燼，士奇偕邑人楊文袝、周自新、曹夢麟、馬似豸、邢垂標、侯奉職、周綿、郭成名搜輯遺逸，續爲斯編，甫成被逮，而黄奇遇梓之，時爲崇禎五年。今志存士奇、奇遇、文袥三序。

唐舜卿：涿州志十二卷

未見

舜卿未詳何時人，見明史地理類。遼史拾遺卷十四引之。

秦金：通惠河志二卷

未見

見明史地理類。按：通惠河卽高粱河，源發西山玉泉，東入都城西水門，南出玉河橋水門東行，會南北城河，由大通橋東下，經慶豐閘、平津上下閘、普濟閘，東至通州入白河。元世祖至元二十九年，郭守敬開此河，置閘蓄水通州，以濟漕運，賜名通惠。蓋此河在西直門外，今仍稱高粱河，入都城大内，則稱玉河。流出東便門外大通橋。河由五閘迤逦而下，至通州則稱通惠河。土人呼曰裏河。本一河，而隨地異名。是今通惠河卽古高粱水也。白河爲古鮑邱水。據水經注，高粱水至潞縣，注於鮑水。今通惠河下流入白河，與鄽注合。考之前代，魏劉靖、北齊斛律羡，皆導高粱水會潞灌田者。又桂文襄公奏議，亦云此河元郭守敬由古水道開濬，非自守敬創始，可知守敬卽因高粱水入潞故道，廣爲開濬，上源多引白浮、神山、玉泉諸水，下流因地勢建閘蓄水以成河耳。今人習焉不察，皆知爲通惠河，而不考其卽古高梁水也。

吴仲：通惠河志三卷附録一卷

未見

按明史河渠志，仲嘉靖六年官御史，上言：通惠河屢經修復，皆爲權勢所撓，顧通流等八閘遺跡俱存，因而成之，爲力甚易，歲可省車費貲二十餘萬。且歷代漕運皆達京師，未有貯國儲於五十里外者。帝心以爲然，命侍郎王軏、何詔及仲偕相度。軏等言：大通橋地形高白河六丈餘，若濬至七丈，引白河達京城，諸閘可盡罷，然未易議也。計獨濬治河閘，但通流閘在通州舊城中，經二水門，南浦、土橋、廣利三閘，皆闤闠衢市，不便轉輓，惟白河濱舊小河廢壩西不一里，至堰水小壩，宜修築之，使通普濟閘，可省四閘兩關轉搬力。而尚書桂萼言不便，請改修三里河。大學士楊一清、張璁是仲議。明年六月，仲報河成，因疏五事，言大通橋至通州石壩，地勢高四丈，流沙易淤，宜時加濬治。管河主事宜專委任，毋令兼他務。官吏、閘夫以罷運裁減，宜復舊額。慶豐上閘、平津中閘今已不用，宜改建通州西水關外剥船，造費及遞歲修艌俱宜酌處。帝悉從其所請。九年，仲出爲處州知府，進所編通惠河志，帝命送史館，采入會典，且頒工部刊行，是當時盛稱其功矣。按明史載秦志。四庫總目載吴志，內閣書目又云，郎中江一中修，未知是一書否。

于奕正、劉侗：帝京景物略八卷

存 刊本

侗，字同人，麻城人。崇禎甲戌進士，官吴縣知縣。奕正事蹟詳先賢傳。是編詳載北京景物，奕正摭求事蹟，而侗排纂成文。以京師東西南北各分城内、城外，而西山及畿輔併載焉。所列目凡一百二十有九。每篇之末，各繫以詩。採摭頗疎，考據亦不的確。刊本旁加句讀，以爲佳句，復加墨圍，直以時藝視之。明人弇陋，實可哂也。

史恒德：涿鹿記

未見

卷數無考。遼史拾遺十四引房山一條。日下舊聞二十九引通會、崿峪、月池三條，似是涿州地志。三十引房山一條，明時房山屬涿州也。涿鹿以山爲名。寰宇記云：涿州，古涿鹿之地。史記：黄帝與蚩尤戰涿鹿之野。即此地。記名涿鹿，蓋據此也。

陳繼新：翠微志

未見

卷數無考。翠微山卽平坡山，在城西三十里，寺名平坡寺。宣德中改寺額曰圓通，改山名曰翠微。通志稱其上平原百里，煙雲樹石，皆稱奇勝。

張爵：五城坊巷衚衕集□卷

存刊本

是書專記坊巷衚衕，分五城，地段、古跡、寺觀，詳載無遺。

于燕芳：燕市雜詩

佚

郎眉公雜録之一種。

史元：舊京遺事

佚

見禁書總目。

徐懋賢：忠貞軼紀一卷

存寄園寄所寄本

懋賢，江南人，官順天教授。軼紀專載京師甲申殉節之士，半屬儒生，間及一二武職、閒曹，要以闡揚幽光，補國史所不及焉。今所紀姓名事蹟，全載於寄園寄所寄裂眥寄。

明宮殿額名

未見

卷數、撰人無考。日下舊聞屢引之。

京城古蹟考

未見

卷數、撰人無考。日下舊聞屢引之。

寶坻政書

未見

卷數、撰人無考。見絳雲樓書目。明代典故，次於蘇州田賦册、吴江水利考之下，應是記治寶坻政績書。

天壽山諸陵總圖一卷

佚

撰人無考。見明志地理類。

沙河行宫圖一卷

佚

撰人無考。見明志地理類。

國朝

欽定日下舊聞考一百二十卷

存乾隆□年刊本

乾隆三十九年奉勅撰。因朱彝尊日下舊聞原本，删繁補闕，援古證今，一一詳爲考覈，定爲此本。原書分星土、世紀、形勝、宫室、城市、郊坰、京畿、僑治、邊障、户版、風俗、物産、雜綴十三門，外增列苑囿、官署二門，并前爲十五門。又原本城市、京畿二門，五城及各州縣分屬之地，今昔不同，一一以新定界址爲之移正。列聖宸章涉於神京風土者，悉案門恭載，尤足以昭垂典實，藻繪山川。千古輿圖，當以此本爲準繩矣。

欽定盤山志二十一卷

存乾隆□年刊本

大學士蔣溥等奉勅撰。山志自青溝釋智朴草創成編，辭旨冗蔓，體例未備。乾隆十九年二月，因行幸静寄山莊，爰命蔣溥、汪由敦、董邦達纂修新志。溥等承詔屬藁，詳加裒輯，分圖考、名勝、寺宇、流寓、方外、藝文、物産、雜綴八門，釐爲十六卷。首冠以巡典、天章五卷，至十二月，書成，奉表恭進焉。

孫承澤：天府廣記四十四卷

存鈔本

是書以京畿事分類編輯，凡建置、府治、學宫、城池、宫殿各一卷，壇廟四卷，官署二十三卷，其中倉場、漕務附户部，選舉貢附禮部之類，又各以所屬繫録人物二卷，名勝、川渠、名蹟、寺廟、石刻、陵園各一卷，賦一卷，詩三卷，全用志乘之體。承澤所作春明夢餘録，多記明事，是編則上该歷代，下迄於明，爲例稍殊。

佟有年：房山志十卷

存鈔本

有年事蹟見官吏傳。康熙三年，有年知房山事，延邑人齊推、孫庭芳、陳元荃、李克家、齊撰、張振奇、王應秀重修縣志，分三十二目，共八卷，别無總目，凡例十則。識見卑陋，文筆沓冗，志之不文亦可知矣。

劉漢儒、王秉乘：大城志

佚

漢儒、秉乘見先賢傳。康熙三年，同修邑志，未梓而先後卒，是張志所本。

任在陞：平谷志

未見

卷數無考。在陛見職官表。康熙五年，知平谷縣，與訓導李柱明重修邑志。在陛序云：恆陽李君柱明承學任，以教化爲大務，會逢朔期，與紳博弟子輩商搉厥事，僉曰甚善，遂果於續補，猶未之竟成。俄而上台有修補志書之令，爰與李君纂輯，命邑庠之老成經歷者，敷陳軼事，採訪時尚，詳其所當詳，略其所當略。凡邑中之山水、景物、宫室、廟宇，靡不畢載。若夫循良治績、科名甲第，以及明經宦遊者，綴補七十餘載事，至於錢穀、兵、刑、簿書、會計，依制叙入，下而里巷之謳吟，與士女之節孝，有關風化者，則續補之。李序亦存。任自署名云金明任在陛。朱志以爲金公在陛，可噱。朱彝尊日下舊聞引用，即此志。

張象燦：大城志八卷

存 康熙十二年刊本

象燦事蹟見官吏傳。象燦康熙八年任大城，偕教諭王嘉言、邑人李淑秀、吴煜、劉杌、馬恂、馬璉、劉愫、鄧曰睿、鄧曰喆、鄧曰震，取劉漢儒、王秉乘重修志乘，略加修葺，分八門，曰輿地，曰宫室，曰賦役，曰官師，曰選舉，曰人物，曰藝文，曰災祥。子目六十五，其衙署、廟寺、衢巷、坊表，均入宫室志，實未妥洽。宫室二字亦非縣志所應有也。

朱庭梅：霸州志十卷

存康熙十五年刊本

庭梅見職官表。康熙九年，任州事，延學正趙璧重修州志，成書十卷，分十三門，曰輿地，曰典禮，曰建置，曰學校，曰武備，曰食貨，曰官師，曰山川，曰城郭，曰人物，曰藝文，曰方技，曰雜志。子目七十有六。

韓淑文：順義志

未見

卷數無考。淑文見職官表。康熙九年進士，任順義，續修縣志，黄志存淑文一序。

李慶祖：良鄉志

佚

卷數無考。慶祖事蹟見官吏傳。康熙十年，以恩廕宰良鄉，延邑人張侍御璟續修縣志，因其兄張珽纂藁。重編楊志，存慶祖、張珽二序。璟凡例十則，例云門十，目六十一。與楊志合，大約楊志視此稍增耳。見聖跋，云未刊。

陳祝升：固安新志八卷

未見

祝升見職官表。康熙十年宰固安，偕邑人李槵、沈子龍、王邦翰、楊廕餘同修，時正修一統志也。今存祝升一序。

崔啟元：文安志

未見

卷數無考。啟元事蹟見官吏傳。康熙十一年知文安。邑志自崇禎己巳至康熙壬子，凡三十五年闕修，延紳士編訂，廢墜具舉，楊志存啟元一序。

趙宏化：重修密雲志

佚

卷數無考。宏化見職官表。康熙六年知密雲，十二年修縣志，去張志九十七年，序云：原梓糢糊錯落，篇内多淆謬繁缺，文獻無徵，守土者責將焉辭！於癸丑孟夏謀於太學暨諸弟子員，考訂事實，疏類分門，始於天文，繼以地理，終以人事，凡爲綱者三，爲目十有八，閲兩月乃克就緒。所謂淆者清，謬者正，缺者備，繁者簡云云。同纂邑人刑部員外郎杜琳恩、貢生王廷棟。丁志存宏化自序。

任塾：三河志

佚
卷數無考。塾事蹟見官吏傳。康熙十年任三河，續修邑志，亦未刊行。
閻興邦：通州志十三册
未見
興邦事蹟見官吏傳。康熙十年知州事，十三年屬衡陽周士儀增修，得稿十三本，未梓。
牛一象：寶坻志
未見
卷數無考。一象事蹟見官吏傳。康熙十三年中修一統志，命各郡縣先修志乘，一象偕教諭苑育蕃共事纂輯，適大學士杜立德家居，主其事，故邑人謂之杜志。
王士美：東安志
未見
卷數無考。士美事蹟見官吏傳。康熙十年任東安縣，延訓導馬元調、邑人張墀、扈運閶重修邑志，逾月告成。十四年，李大章刻之。今李志存侯應封、士美、大章、元調四序。
吴都梁：昌平新志二十四卷
存 刊本

都梁見職官表。康熙十二年，都梁任州事，與昌平道奉天耿繼先踵前志重修。日下舊聞引昌平新志，即此書。

成其範：保定志四卷

存康熙十三年刊本

其範事蹟見官吏傳。保定志修於萬曆癸丑，至其範於康熙癸丑知縣事已六十年，偕邑人王鼎臣、柴經國共修之，分十門，曰象緯，曰方輿，曰建置，曰學校，曰典禮，曰食貨，曰官師，曰選舉，曰人物，曰藝文，子目六十四。名宦、鄉賢兩傳純以四六空言，非銘非贊，而事實遂毫無可考，實爲不善取法。志版刻於康熙，久已刓闕，字跡零落，更難考核。

鄧欽楨：武清志

未見

卷數無考。欽楨事蹟見官吏傳。康熙乙卯，欽楨延邑人趙之符、教諭李衷繡、貢生李子楨續修邑志。衷繡原序存吴翀志中。

萬一鼒：永清志十五卷

未見

一鼒見職官表。康熙十年知永清縣，于十五年與訓導喬嶲定著永清縣志，爲十一篇，凡十五卷，一曰天文，二曰地理，三曰建置，四曰圖考，五曰職官，六曰選舉，七曰人物，八曰賦役，九曰祀典，十曰文籍，十一曰詞賦。周志謂其文詞多不雅馴，難垂典則。然創始之難，自古已然，要其搜剔固已勤矣。周志存一鼒、嶲兩序。

劉德弘：涿州志

未見

卷數無考。德弘事蹟見官吏傳。康熙十五年知州事，十六年重修州志，邑人馮祭酒源濟序之。今吴志存馮序，是時房山屬涿州，各門兼載房山事。吴志凡例摘其山川門獨鹿山爲涿鹿山，又誤讀史記獨鹿鳴澤之文，以爲有鹿鳴澤，遂曰鹿鳴澤在獨鹿山下。選舉門，進士首列盧照鄰，未知唐舉子稱進士。次列張知謇兄弟，未知明經之異乎進士。竇儀兄弟列於宋，王倫、梁鏜列於遼，均未考其時代。人物門，魏之劉資字彦龍，放孫，考三國志，劉放與孫資合傳，資字彦龍，孫其姓也，改爲劉放之孫，舛錯如此。至趙在禮列於忠節，姚廣孝列於方外，俱屬紕繆之甚者。

董廷恩：薊州新志

未見

卷數無考。廷恩事蹟見官吏傳。康熙十六年莅州事，十七年廷學正郭濬，訓導梁士滋、左方焯同修州志。沈志尚存廷恩一序。

劉深：香河志十一卷

存 康熙十七年刊本

深事蹟見官吏傳。深以康熙十四年知香河縣事，重修縣志，成書十一卷，分十一門，曰天文，曰地理，曰建置，曰田賦，曰兵防，曰禮樂，曰秩官，曰選舉，曰人物曰雜志，曰藝文。子目九十一，以學校、壇廟歸建置，寺觀、古跡歸雜志，甚有條理。

顧炎武：昌平山水記二卷

存 亭林遺書本

炎武，崑山人，博極羣書，最明於地理之學。是書考證詳明，叙述有法。惟云南河縣故城在縣東南二十五里，按南河，唐縣，河北道邢州，唐未嘗僑置也。寰宇記，隋開皇三年屬洺州，尋屬邢州，即西漢縣廣平國，東漢縣冀州鉅鹿郡者也。其故城何以在今順義境，地理韻編南河附詳南和下，謂在今直隸順德府南和縣治，新斠注漢志同顧氏所云，不知所據，必未核也。

北平古今記十卷

未見

見朱彝尊日下舊聞引用書目，張穆顧亭林年譜、遼史拾遺引作孫承澤，誤。

京東考古録一卷

存說鈴刊本

按此書吴震方說鈴收之。四庫書存目，謂其文皆見炎武所撰日知録及昌平山水記，殆震方勦取别行僞立此名也。按衍生書目本有此書提要，殊武斷。蓋先生所著書，其精華無不采入日知録者，不但此一書也。

萬歲山考一卷

未見

見張穆顧亭林先生年譜。

高士奇：金鼇退食筆記二卷

存說鈴刊本

士奇是編，乃康熙甲子官侍講學士入侍内廷時所作，自序稱衙署監局載會典者不書，訪問未確者不書，外人所罕窺者亦不敢書，士奇出入禁廷，朝夕考校，故所記往往可據。

朱彝尊：日下舊聞四十二卷

存六峰閣刊本

彝尊，秀水人，官至翰林院檢討。罷官，留都下，以京師遼、金、元、明歷代建都之地，迺采摭羣書，自六經、國史、詩文別集、百家、二氏以至海外載紀，殘碑壞碣，靡不搜録，成四十有二卷，題曰日下舊聞。古來誌都京者，前莫善於三輔黄圖，後莫善於長安志，彝尊蒐羅詳洽，已駕二書之上。其子昆田後加搜葺，附於各卷之後。乾隆三十九年，奉敕重編後，此書已爲大輅椎輪。然其考證之勤，搜羅之博，究非郭造卿、劉侗輩所可同日語矣。

項惟貞：燕臺筆録一卷

存學海類編刊本

惟貞，秀水人，彝尊門人。此書卽日下舊聞内風俗一門，刻入曹溶學海類編。考彝尊撰舊聞時，溶殁已久，安得録之學海類編？割裂原文，强立名目，猶沿明人習氣，非溶原本，此亦一證。

米漢雯：宛平縣志六卷

存康熙二十三年刊本

漢雯事蹟見先賢傳。此志爲漢雯官左中允時所修，分六門，曰地理，曰營建，曰食貨，曰政事，曰人物，曰藝文。令宛平者爲漢中王養濂，志中列縣志新舊八景，近於庸陋。至冢墓門列建文君墓在黑龍潭金山口北，亦近於鑿空矣。

張茂節：大興縣志六卷

存　鈔本

茂節事蹟見官吏傳。志爲茂節後任大興時所修，序云：自有大興以來，遠不具論，即由明迄今，令茲邑者不下數十百人，皆未聞有志，顧予何人，儼然獨創？其始鮮不以爲愚且妄矣云云。是茂節此書，實爲創始，而編輯則順天孝廉李開泰，貢生郝尚禮、徐兆斗，校正則生員張釆、陳國瑞，參閱則順天府學教授邢吉士，訓導張調鼐，閱歲二載有奇，爲綱有六，爲目三十有二，不出明人志書窠臼。今僅存鈔本，首尾缺失，字跡脱落，序首缺一葉，并脱修志年月。以卷中職官考，茂節復任在康熙十九年，科目考載至康熙乙丑科，爲康熙二十四年。志當修於是時，迄今已二百年。修復舊觀，亦官斯土之責矣。

井焜：文安志二十卷

佚

焜事蹟詳先賢傳。此書見文安楊志。

張朝琮：宰文略

存刊本

無卷數。朝琮見官吏傳。朝琮宰文安，有政聲，後擢薊州，取宰文安時舉辦政蹟彙編之，皆實録時事，不甚鋪張，非虛語也。

吴存禮：通州志十二卷

未見

存禮事蹟見官吏傳。康熙三十五年知州事，延長洲貢生陸茂騰，取閻志稿十三本删修，因順治十五年裁漷縣入州，并附入漷縣事蹟。採明萬曆間漷令艾友芝所修漷縣志，共編十二卷付梓。今志存韓菼、石文桂、沈朝聘、于準、許兆麟、沈志達、存禮七序，尹澍、戴璿二跋。

釋智朴：盤山志十卷，補遺四卷

存康熙三十八年刊本

智朴事蹟見釋道傳。盤山突起薊門，無所附麗，單椒蔓壑，獨擅雄奇，自唐文皇駐蹕兹山，遼、金諸帝莅止不一，迨于本朝，翠華臨幸，御書宸藻，照曜山谷。智朴輯而爲志，共四門，分十卷，曰名勝，曰人物，曰建置，曰物産，曰游幸，詩文附焉。補遺四卷，皆輯詩文。附雜綴數葉，窮九年之力，僅而後成。王士禎、宋犖均作弁言，甚爲推重。乾隆十九年，欽定新志，搜羅賅備，考訂詳明，豈朴所能彷彿萬一！而椎輪伊始，裘腋惟勤。朴之功，究非尋常俗衲可同論矣。

楊嗣奇：良鄉志八卷

存刊本

嗣奇見職官表。康熙三十九年知良鄉，偕邑人見聖、陳玘、唐美中續修邑志，門目仍李志之舊，文筆冗沓，編次凌亂，志乘之下者。

楊朝麟：文安志八卷

存康熙癸未刊本

朝麟事蹟見官吏傳。朝麟以康熙三十九年調任文安，偕邑人王埏、紀炅、胡滂、魏四易、李灼、陳儀、陳僧、李其旌、井鑄、紀應□等續修邑志，分皇恩、方輿、沿革、星野、疆域、鄉鎮、集市、禮儀、風俗、古蹟、墳墓、物産、城池、公署、學校、營制、壇壝、廟寺、橋梁、坊表、賦役、户口、人丁、田賦、税課、鹽政、倉儲、河渠、堤工、僉議、名宦、縣職、教職、營職、鄉賢、忠烈、孝子、列女、隱逸、仙釋、寓賢、畫苑、甲科、鄉科、歲薦、歲恩選、例貢、武進士、武舉、薦辟、武胄、掾史、中貴、封贈、恩廕、命婦、戚畹、藝文、事異，共五十九目。其古蹟廣陵城云：五代史，劉海蟾，燕地廣陵人也，今五代史無此語。因漢燕王旦詩列空城，因魏地形志有平曲城，列平曲縣，展轉牽引，不出地志之習。

鄭富民：三河志

未見

富民事蹟見官吏傳。康熙三十九年任三河，續修邑志。今陳志存富民一序。

張朝琮：薊州志八卷

存康熙四十二年刊

朝琮事蹟見官吏傳。康熙三十三年、四十一年兩任州事，偕邑人崔顔，重纂州志，分八門，七十九目，古蹟之後，重列美景，殊屬無謂。

章曾印：武清志

未見

卷數無考。曾印事蹟在官吏傳。康熙辛巳，曾印偕邑人李煒開局，重修原本陶志，更加删潤，吴翀志中存序云：紅剥船差爲歷來大害，今已裁去。馬廠地畝爲小民大累，今已清釐。河堤沖決爲漕運民生大病，今已准留丁沽税銀作歲修之用，可保安瀾。種種諸務，皆與民社休戚相關，可不修志以記之！與其事者教諭大名蘇達、訓導龍門王象春、邑人河南僉事趙珣、貢生田士璋。

鄭善述：固安志八卷

存 康熙五十三年刊

善述事蹟見官吏傳。康熙四十六年宰固安，去陳志重修之時已四十餘年，偕教諭耿永年、訓導范繩祖、邑人曹江、傅應龍、卜漢超、張攀、龍煒、周佺同修，藝文載邑人爲善述撰壽序二篇，寔屬弇陋。

郭應儒：密雲志鈔

佚

卷數無考。應儒，字子文，邑人，康熙五十年撰。丁志存吴佐序。

吴景果：懷柔新志八卷

存 康熙辛丑刊本

景果事蹟見官吏傳。康熙五十二年知懷柔縣，與吴江潘其燦同修，成圖四、建置、星野、疆域、城垣、山川、關隘、廨宇、學校、行宫、道路、里社、廟寺、祠墓、風俗、災祥、官師、科貢、人物、賦役、物産、雜綴、文詩二十三目，條例井然。惟詩中雜存景果、其燦倡和之作，皆流連風景，無關考證，究不合法。

李因篤：芹城小志

存

因篤，字天生，富平人。芹城隸今昌平。是志蓋寓昌平時所撰。日下舊聞、昌平宋志多引之。

顧貞觀：温陽紀略

未見

貞觀，江蘇無錫人。客遊懷邑，就所見者紀之。金明昌六年，名縣爲温陽，故名。日下舊聞引用最多。

薛天培：密雲志六卷

存 刊本

天培事蹟見官吏傳。康熙五十七年任縣事，延雲南陳宏謨重修。序云：上自行宫、橋梁、道路、堂奥、亭閣，宸章寶翰焕日星而發山谷之光者，恭紀之。其邊臣之碩畫，文人學士之謳吟，一一搜羅，悉登紀載，至其城池、驛堡，隨時更變，風土人物，不無屢易，一切注明，俾後之觀者，展卷如指掌焉。

黄成章：順義志四卷，補志一卷

存 康熙六十一年刊本

成章事蹟見官吏傳。康熙五十五年，以舉人宰順義，延四川貢士張大酉同撰。己亥歲先成四卷，後假寓居邑中，滿洲舉人文明藏書，復續成一卷。其中考訂舛錯，文辭卑陋。如趙宏燮調成章令大城一摺，載入志中，從來無此體例。宏燮入祠名宦，並載其木主之式。成章後跋有云：細閲學憲批語，與紳士呈詞，其中稱述歷任實事，俱切確不浮，非同溢譽，崇祀名宦，足徵三代之公。前康熙五十一年八月初五日，章同四川成都紳士隨布政司宋致，恭送勇略將軍襄忠公入文廟，今又于康熙六十一年八月初四日，躬逢崇祀盛典，兩代名宦，一送于西川，一送于北直，並書之以誌，先後相遇之奇。亦不文之甚矣。

程璇：渠陽水利書

未見

卷數未詳。璇見官吏傳。璇宰寶坻，有惠政。雍正丙午，復命督寶坻隄務，濬鮑邱、窩頭河二道以洩水，塞香河縣七里河明口，築隄自三河新集、料馬莊至寶坻江湟口次，視工六年，著此書爲善後計。

項景倩：平谷志

未見

卷數無考。景倩事蹟見官吏傳。雍正六年，續修縣志，宋志存景倩序。然考乾隆朱克閎志自序云：僅卽數十年之文武職官，恩拔歲貢，籍貫、姓名、任事考授年月，補而增之。是朱志所增止此，餘皆景倩之原書也。

吴翀：武清志十二卷

存乾隆七年刊本

翀事蹟見官吏傳。乾隆壬戌，翀延曹涵、趙晃共修，編十二卷，列諭旨、宸章、巡幸於卷首。列星土、建置、沿革、形勝、疆域、城池、公署、學校、里社、集市、田賦、户口、起運、存留、課程、剥船、撥補、河渠、武備、秩祀、郵傳、古集、寺觀、風俗、物産、禨祥、職官、選舉、名宦、褒封、流寓、仙釋、人物、列女、藝文三十五目，順天各志中猶爲有條不紊者。惟人物一門，子目頗病駁雜。藝術一人第稱其精歧黄，並無事實佐證，觀其遺行，亦不僅以藝見。列女亦人物也，何以别爲一門？體例未當。至附内臣於鄉賢，尤弗思之甚者，固不待辨而自明矣。

李光昭：東安志二十二卷

存刊本

光昭事蹟見官吏傳。乾隆八年任東安縣，延蕭山周琰重修邑志。分十七門，曰天文，曰地理，曰建置，曰學校，曰祀典，曰巡幸，曰賦役，曰風物，曰機祥，曰職官，曰選舉，曰人物，曰貞烈，曰河渠，曰古蹟，曰藝文，曰拾遺。目六十六，河渠分新舊二圖，最爲詳備。列傳官民雜列，冗繁已甚。增入八景，自爲補舊志未備，而不知非志乘所應有也。

伍澤檠：寶坻續志

佚

澤檠事蹟見官吏傳。洪肇楙與邑紳書云：首令伍公作續志稿，罷去，遂不果。

洪肇楙：寶坻志十八卷

存乾隆十年刊本

肇楙事蹟見官吏傳。乾隆四年，知寶坻縣。十年，延江陰蔡寅斗修志，五年始成。爲卷十八，爲門十二，爲目七十有六，創凡例十二，其訂訛云：舊志雖簡，而訛者實多。有古蹟訛者，如以秦城爲唐太宗築，淤泥河爲高開道失陷處，羅將軍墓爲士信，大覺寺鐘爲東海浮來之類是也。有姓名訛者，如以李愿爲李愿忠，黑斯彦明爲黑斯彦蔡，完者不花子以帖木兒爲官名，僧洪源之爲常在，又爲常住，黄冠劉元之爲元藝，又爲藝元之類是也。有職官訛者，如列劉晞顔于縣令，置程産明于柳青，上混郭伯顔不花、果不花爲一人，丁儒、丁進之更互其職之類是也。至有事實訛者，如劉英之言事罷官，訛爲秩滿；張奇勛之殉變，訛爲養志終身；楊王氏、張氏姑媳之與難守節，訛與凡撫孤者同辭；崔國祚之孝行，崔周田之文學，合于一傳，又訛其兄弟爲父子之類是也。有水道訛者，如謂柳沽河在縣東南，潮河發源于梨泃，鮑邱三泒及窩頭、鮑邱水之出于通州香河縣之類是也。有年代訛者，如以四鄉名爲起于弘治，以剥船爲始于國初，及竈户之不詳其所自來之類是也。其論頗合。肇林、寅斗均擅文名，考訂較他志爲詳，然名目繁瑣，以及星野、八景不出地志之習，名宦應入官師，不當列於人物，列女應入人物，不當别立一門，古蹟、禨祥謂之拾遺，寺觀、仙釋又名别録，亦未能盡合志例矣。

潘榮陛：帝京歲時紀勝

存乾隆二十二年刊本

榮陛，大興人。此書序述京師歲時勝事，當乾隆初年，海宇静謐，人物富庶，游覽之勝，十倍今兹，筆亦裁翦得體。

陳梟：三河志十六卷

存乾隆二十三年刊本

裒見職官表。乾隆二十一年任三河，距鄭志又五十餘年。裒延江南舉人王大信總纂，成書十六卷，分十四門，曰職方，曰形勝，曰建置，曰典禮，曰賦役，曰鄉閭，曰風物，曰職官，曰選舉，曰兵防，曰水利，曰人物，曰雜識，曰藝文。子目七十六。五歲而後成。是書體例謹嚴，采取簡浄，且注出處。順天舊志中最善之書。凡例有云：彼此互異者主一説，而衆説可廢，則附以案語。有集衆説而一説始明，則援以旁通。有一事而互見，則各系其説於本條。有兩説可並行，則並載其書於本類。昔衞正叔常纂禮記集説曰：他人著書惟恐不出於己，余此編惟恐不出於人，竊附正叔之義，以見言非臆造云。可謂擇善而從者矣。

釋自如、吴仁敵：上方山志五卷

存光緒四年刊本

上方山即大房山之一峰，北連諸山，有天柱、飛來、翠微、象王、望海諸峰，有雲水、延壽、華嚴、白牛、九還、金剛、朝陽、文殊諸洞，最擅勝境。寺名兜率者，取上方六欲第四天之宫名也。志爲僧自如創稿，江甯吴仁敵校訂，爲名勝第一，人物第二，建置第三，詩文第四，物産第五，牗具紀載，文筆讁陋無比，如載北齊百詠禪師塔記系僞託，至云北齊後主隆化元年重陽日沐手撰文，范陽張鵾也，北朝人無此文法。

吴山鳳：涿州志二十二卷

存乾隆三十年刊本

山鳳事蹟見官吏傳。乾隆二十八年知州事，重修州志，分輿地、建置、事迹、食貨、選舉、職官、人物、藝文九門。子目二十九。凡例十條，駁正舊志，頗中其失。然人物門載入崔寔、祖瑩，考范書崔駰傳云：涿郡安平人。他書亦有僅稱涿郡者，漢之安平，即今深州安平。魏書祖瑩傳云：范陽遒人。今保定府定興縣東十里，均非今州地。所載崔氏、祖氏諸人，仍不免地志牽引之習，藝文名目瑣屑，更無足取。

朱克閲：平谷志十卷

存乾隆四十二年刊本

克閲，河南嵩縣舉人，乾隆三十七年任縣事。續修分地里、國賦、秩官、選舉、人物、藝文六門，三十九目，成上、中、下三卷，大約皆項志之舊也。

劉錫信：潞城考古録三卷

存乾隆四十三年刊本

錫信見先賢傳。乾隆中，開館修日下舊聞考，朱筠以通州、漷縣諸卷分屬，錫信爲考正數十條，詳加案語，於原書所未備者，采摭各史及説部雜記，並諸家詩文集，以補其缺遺。暇日涉獵羣籍，隨手劄記，復增輯若干條，亦皆朱氏書所無。又摘州志沿譌襲謬之處，並方輿諸書之有關通潞者，條舉而正之。釐爲三卷：上卷雜考，中卷遺事，下卷詩詞。已載日下舊聞及通州吴、黄二志者，概不收入。亦北方學者之傑出者矣。

關廷牧：甯河志十六卷

存　乾隆四十四年刊本

廷牧事蹟見官吏傳。乾隆三十九年知甯河縣事。甯河自雍正九年分寶坻置，至是將五十年。廷牧延仁和徐以觀，諸暨余炳，南海關上謀、馮城，順德張世泰，創修專志，分十門，曰職方，曰建置，曰祀典，曰賦役，曰職官，曰選舉，曰人物，曰藝文，曰風物，曰雜識。目六十五，成書十六卷，志中疆界最詳。例云，始分之邑，疆域尤重，土田之界限，命盜之捕緝，夫役之簽發，渠埝之修廢，稍有不清，每多牽混推卸，至起事端。今按全圖，詳註四址，細列八到，庶幾經界截然。方音一門，尤爲獨創。惟八景分圖，自謂壯觀，實沿俗泒。

周震榮：永清志二十五篇

存　乾隆四十四年刊本　嘉慶癸酉補刊本

震榮，浙江嘉善人。乾隆四十二年，以舉人授永清知縣。延會稽章進士學誠任志事，創紀二：曰皇言，曰恩澤。表三：曰職官，曰選舉，曰士族。圖三：曰輿地，曰建置，曰水道。書六：曰吏，曰户，曰禮，曰兵，曰刑，曰工。政略一，列傳十。學誠淵通淹雅，熟精史例，所著文史通義，言方志者甚詳。至云州縣修志，古者封侯一國之書，故紀、表、書、傳皆法史遷，其説甚創而確。每卷標明義例，繁稱博引，亦能達其所欲言。惟皇言詳載誥勅，士族備述牒譜，名都鉅族，載不勝載。他若職官宜分品級，教職應列佐雜之先，輿地既有總圖，合境須載全圖之内，士族固以城中爲首，而城内古蹟反後於四鄉，列女非以閥閲相高，而柴氏三人别見於士族，兵書既載兵額，而武弁不表職名，工書勤記樹株，而河防不詳夫額，亦屬千慮一失矣。

永清文徵五卷

存附志後

學誠修永清志成，又取一時徵集故事文章，擇其有關永清而不能併收入本志者，又自以類相從，别爲奏議、徵實、論説、詩賦、金石，各爲一卷。

高天鳳：通州志十二卷

存乾隆四十八年刊本
道光十八年重刊本

天鳳事蹟見官吏傳。乾隆四十八年任通州，四十八年增修州志，仍爲十二卷，同修者江南金梅、楊廷琮，浙江沈璉。

李炳：石壩須知

存

無卷數。炳見職官表。乾隆四十三年，任通州州判，分管石壩。四十四年譔石壩須知，自序云：判官故閑曹，無事事，而屬通州者，分管石壩兼河務。七字關防篆文百家經紀，歲自通惠河轉運東南漕白三百數十萬石，由石壩司權量，較盈絀督運，以實京倉，兼以張灣河汛，迎溜頂沖，舊築土隄長若干丈，隄外又建板壩長若干丈，以資保障。第水陸交衝，人煙輳集，蹂躪甚於他汛，南船來往，停泊壩外，板橋持撐，險於他工，任綦重哉。余自金匱左遷州判官，乾隆庚寅奉簡命，需次畿輔，起明年辛卯，攝是篆，未得補，迄今又八年矣，仍膺是職。藐爾微員，當此重寄，爰考州志漕運則例，及元、明諸史，國朝會典、通志諸書，凡與石壩相維繫，分沿革，以重國計，較盈縮，而裕軍儲，與夫判官之職事，專責成以重考課，杜影射而防盤踞者，條分縷析，録爲是編，如負之在背，無或釋也。如田之有畔，無或越也。名之曰石壩須知。衡何以平？量何以準？起運何以迅速？工段何以修防？書役之廢理，判官因之；兵目之勤惰，判官任之；覽是册也，庶知夫事之所關者甚鉅，責之所屬者莫逭，職守重而報稱實難。乾隆四十四年，歲次己亥三月。

吴長元：宸垣識略十六卷

存乾隆五十三年池北草堂刊本

長元，仁和人。客京師十餘載，留心掌故，卽經一坊巷、一梵刹，亦必詢其所自，將擬爲帝京景物、長安可游之續。時日下舊聞考頒行，乃綜括其大綱，參之以所掇拾，上自宫府，下迄郊坰，爲宸垣識略十六卷。所采不出舊聞考，惟增王侯甲第、名人故宅，小小補綴，亦具苦心，固游覽者之所取裁也。

戴璐：藤陰雜記十二卷

存

璐字菔塘，歸安人，博聞多識，著作等身，尤熟於國朝掌故。官水曹，至躋卿貳，前後垂三十年，凡耳目所及，筆之於書，爲雜記十二卷。首述國初諸先達科名盛事，次紀京師五城名勝，旁及郊坰，其間詩酒遨遊，古今興廢，靡不考据精審，殫見洽聞，大旨仿漁洋山人偶談筆記諸書而作。

王萱齡：昌平志稿

未見

萱齡字北堂，昌平人。書未成而没。麻兆慶昌平志外志存其軍都考云：萱齡案：軍都即薫鬻一音之轉。史記絳侯周勃世家正義云：昌平本漢渾都縣，易艮九三厲閽心，王本閽作薫，是渾、薫、軍，古音同也。夏小正雞孚粥粥，通作喌，説文：喌呼雞聲。鬻，説文孚也，从䰜者聲。都字亦从邑者，聲州人呼粥爲州，滿洲爲滿朱，亦爲滿都，尚書教胄子，説文引作教育子，是鬻、都，古同音也。故漢書燕刺王旦策曰：薫鬻氏虐，老獸心姦，巧邊甿，薫鬻徙域，北州以妥。薫鬻本居於此州，及徙域而軍都之名不去也。

趙錫蒲：薊州志八卷

佚

錫蒲事蹟見官吏傳。嘉慶九年、十五年兩任州事，偕邑人蔣本德共修。沈志序云未成，止有草本。

李逢亨：永定河志三十二卷

存 嘉慶二十年刊本

逢亨見職官表。嘉慶十六年任永定河道所纂。按：永定河即水經注之灅水，東北合桑乾水，金、元謂之盧溝河，一名渾河，又名小黄河，康熙三十七年賜名永定河。水性湍急，挾擁泥沙，易淤善潰，素稱難治，歷代以來，恆爲民患。本朝建隄設官，規模宏遠，非前代補苴之爲可比。逢亨恭録列聖諭旨宸章於篇首，後分八門，曰繪圖，曰集考，曰工程，曰經費，曰建置，曰職官，曰奏議，曰附録，凡三十二卷，至詳且盡。首載六次改河圖、沿河州縣分界圖，尤爲瞭如指掌，後坿沿河摘要十條，有成法之中人或易忽者，有工程之間必須通融者，有爲一時倉猝之備者，有爲日後久遠之圖者，參酌施行，寔事求是，談永定河者莫不奉爲圭臬焉。

沈鋭：薊州志十卷

存道光十一年刊本

鋭事蹟見官吏傳。道光九年任州事，與會稽章過、德清金天瑞同修。增爲十卷、九門，曰方輿，曰建置，曰祀典，曰賦役，曰官秩，曰名宦，曰仕紳，曰人物，曰藝文。八十五目。藝文所收，大抵不專爲薊州而作，實爲龐雜。

燕京雜記

存聚珍本

此書雜記京師服食、器用、時節，頗爲詳備，惟不知撰人名姓。而其中時尚之事，大半在道光中葉，與日下舊聞考不同，而與今時亦異，蓋道光中人作也。署名不曰京師，而曰燕京，尚沿舊説之誤。

劉寶楠：文安隄工録六卷

存 鈔本

寶楠事蹟見官吏傳。文安地故窪下，隄堰久不修，遇伏秋水旁溢，爲居民害。寶楠視履隄防，詢知疾苦，令甲：凡隄工、旗丁及民均資修理。寶楠如令施行，而旗丁怙勢不出飲助，相爲觀望。寶楠執法不阿，工賴以濟。此録紀當時工程，條理融貫，後治水者可以爲法。

高驤雲：可也簡廬筆記一卷

存 咸豐四年刊本

驤雲見職官表。咸豐四年宰保定，因縣志失脩已久，爰録水利隄防，繪圖立説，如營田考，浚十望河議，均剴切敷陳，留心民瘼，不作無益空談，爲民有司，宜以爲法。可也簡廬，保定治事西堂之額，因以名書。

房山志料一卷

存 養恬齋刊本

房山西山阻塞，蹊徑四通，縣志略具規模，未能詳悉。驤雲以咸豐七年宰房山，據所目見，繪嶺西山後各圖，山川之脈絡，里居之遠近，條分縷析，兼有考訂，最爲有用之書。至三角城關上，目爲劉仁恭遺跡，猶爲近是。惟以仁恭所置山後八軍，即指房山之山後實之，未免失考。五代時，幽、薊諸州爲山前，雲、蔚諸州爲山後，仁恭所置之地八軍當在懷來、宣化地界，不惟防晉，亦控契丹，若盧文進所統，更爲今山西朔平府境，相距更遠。

陳崇砥：固安志八卷

存咸豐九年刊本

崇砥見職官表。咸豐四年署固安事，延福建舉人陳福嘉續修縣志，分門八，目九十有二。川瀆一門，載永定河遷徙流塞，甚爲詳明，志中例之最善者。至如文廟、祭器、禮樂、文章，非一邑所得私，兹仿平山縣志載入，殊爲不善取法。藝文志内列楹帖一目，已屬纖瑣，又崇砥四詩亦附入志，更屬無謂。

王爾琨：增修房山志略一册

存鈔本

爾琨見職官表。同治十一年，爾琨知房山，延李恩德續修志，事距康熙志已二百年，文獻無徵，按卷散佚，職官僅記道光以來選舉，亦未完備，各門編次無法，併無卷數，名爲增修，實采訪册而已。

周乃大：同治霸州志八卷

存鈔本

乃大見職官表。同治十一年知州事，重修州志，成書八卷，分五門，曰輿地，曰官政，曰駐防，曰人物，曰藝文。子目四十有七。時去朱志之修已二百年，歲月既久，湮没甚多，文獻莫徵，傳聞皆軼，雖苦心蒐羅，不無缺略之憾。

李秉鈞、吴欽：永清續志十四卷

存光緒元年刊本

秉鈞、欽，均見職官表。秉鈞於同治十二年涖任，延浙江舉人魏邦翰續修邑志，未成而解任。欽繼其事，復與邦翰共成斯編，門類一準周志，惟去士族一表，增封贈、廕襲二表，流寓一傳，風土志雜志數目，惟流寓載王士禎，究屬牽强。風土志雜志，是尋常志所應有，而非實齋志之體例。其卷末續志賸言，專論周志，或褒或貶，均無空論，亦周志之諍友也。宋、元舊志如張淏之續會稽，梅應發、劉錫同之續四明，拾遺補缺，各自爲篇。至明以來，修志者類取前志，散入己作，增益删補，無跡可尋，是以新志行而舊志遂廢。是編名曰續志，列於前志之後，體例最善，秉筆者之虚衷，亦可見矣。

續文徵二卷

存附志後

體例一準章氏前編。

吴履福：涿州續志

存同治十一年刊本

無卷數。每類均依吴志之舊，附刊卷後，惟人物類於名臣之外增仕蹟一門。然案其實，均可以名臣賅之，亦分所不當分者。新志不廢舊志，體例最善，然自可單行，散入各卷，究嫌牽混。

陳景伊：續修平谷志一册

存鈔本

景伊，平谷歲貢生。平谷志自乾隆四十二年迄今未修，景伊有志補輯，災祥一門最爲詳備，雖不諳志例，編纂未能盡善，而順天人士留心邑乘，已爲僅見。

高建勳：通州志十卷

存光緒五年刊本

建勳見職官表。光緒四年續修州志，延天津王維珍主修，分十門，曰封域，曰建置，曰漕運，曰賦役，曰學校，曰官師，曰選舉，曰人物，曰風土，曰藝文。子目八十七，半因舊志，略爲增損，如人物傳陽球、高閭，舊志誤收，亟宜駁正，乃知其誤而仍存之，似可不必矣。

丁符九：重修甯河志十六卷

存 光緒六年刊本

符九見職官表。光緒三年任甯河，延江西王國振、寶坻馬聯芳、邑人談松林續修志事，門目一仍闕志之舊，每類間有增入，並無糾正。

朱其詔：永定河續志十六卷

存 光緒六年刊本

其詔見職官表。光緒五年署永定河道。考永定河志，成於嘉慶二十年，迄今六十餘載，尚未續輯。河流形勢既屢有變遷，疏築機宜卽互有同異，因籌款設局，派員續輯，删繁就簡，至光緒六年八月止，又得十六卷，諭旨仍恭録簡端，其繪圖、工程、經費、建置、職官、奏議、附録七門，均沿舊例，惟舊志之圖，源委雖詳，道里未覈，且與今時形勢小異，兹復測量廣袤，並略仿李申耆先生一統輿圖法，按分計里，縱横分繪，以便觀覽。石景山以上未及詳者，以非防汛所及也。兵制，舊志載在經費門兵餉條下，今另列爲一門，集考舊志詳盡，故不贅。河圖爲南海招錫恩用測量法繪，並跋云：圖中凸爲御碑，冋爲神廟，□爲衙署，日爲汛房，口爲鋪房，口爲石橋，品爲邨莊。用工部尺丈量縮爲四萬五千分之一，卽一分當四十五丈，四分當一里，圖中衹畫兩岸隄工及下口邨莊，而埽壩河流不與者，因其河流無定，時有更移，故空其中，以備隨時填畫。凡每次漲水，各汛按水從何工何號而來，向某工某號而去，或平而險，或險而平，傍隄順流，或走中洪，以色筆按號填畫，下口所屬，委諸武弁，彙歸工所，總集成圖，傍註年、月、日，此卽當時河勢情形也。隄外十里邨莊得附載，而目所未見，無從位置，是多忽略，覽者諒之云。

陳嵋：良鄉縣志八卷

存 鈔本

嵋見職官表。光緒六年署任，七年與邑人訓導郝錫疇、拔貢薛蔭續修，分八卷，門、目仍依前志。

蔡壽臻：武清志十卷

存 鈔本

壽臻見職官表。光緒辛巳，延仁和舉人錢錫宷重修，志自乾隆壬戌至今，已一百四十餘

年。咸豐庚申，夷人擾境，案卷散失，事蹟湮没甚多，此志取法陸隴其靈壽志，錫寀志議，

議云：靈壽一志，既爲陸清獻公所手定，地又畿輔近縣，是宜法其體例謹嚴，繁簡中度，無論矣。如八景之宜刪也。勳封、職官之宜分也。文廟儒賢位次、器數、禮文詳在會典之毋庸紀也。風雲月露之詞，無關地方利病者之俱不載也。洵歷久不易之則。是編一於是乎取法，不妄立體例，惟地理志山川一門，武清有川無山，而水利特重，易以河渠。紀事、方音兩門，慮訪詢易訛，不足傳後，毋甯闕焉。廟宇無關祀典者，因市集所在，間亦載入。人物志名宦一門，歷考舊志及近時採訪，恆難其選，姑闕之以俟來者。隱逸非盛世所宜，亦刪去。武清地當孔道，故增郵傳，於建置中，宸章、巡幸冠於篇首，明考古尊王之義焉，其小異於陸志者，僅此數事。

壽臻答志議，

議云：志之體例，悉宗靈壽，善矣。因地異事，於同中見異，尤善之善者也。首列諭旨、宸章、巡幸，仍沿舊志之舊，其恭録列聖諭旨，如停圈佔，築城垣，減地丁，儲集穀，賑荒歉，立義學，仰見朝廷深仁厚澤，視民如傷之隱，惟非一邑所敢私，固宜備載通志矣。仍應援靈壽文廟禮樂之例。其改河建閘，確在邑境者，必宜補列。此應議者一也。六景既刪，而縣境全圖，邨莊不及十分之一，擬前列開方總圖，不必限於篇幅，縣境盈東南而縮西北，擬四維列四分圖，（如東南、西南、東北、西北之類。）河渠舊無圖，必須永定河、鳳河、北運河、筐兒港、減河各繪一圖。此應議者二也。田賦舊志，遵乾隆二年賦役全書，現擬遵光緒二年賦役全書，以現行常例，大字中書，而分注條列舊志於後，俾觀者展卷瞭然。此應議者三也。里社分合，今昔不同，名亦不挂於士人之口，擬今之十三鎮，列爲子目，附近各邨臚麗之，並註明距城里數。此應議者四也。河渠舊志，大略考之永定全志，亦多不合，擬周諮博訪，因端竟委，臚陳其興廢，剖晰其利害，力不逮者，留俟後賢。此應議者五也。舊志河員列於河渠門後，將弁另列武備，而營制兵數，均未詳，殊形挂漏。考北運河有河西務同知、主簿，楊邨通判、縣丞，永定河有三角淀通判，北岸頭工上汛、中汛，南岸八工上下汛，雖無武邑地面之責，俸工均由留支項下支給，自應列入職官。各緑營外汛，星羅棋布，或隸天津，或隸通永，而巡緝有協防之責，亦應併入職官，而以應轄各邨附列卷末。此應議者六也。職官一門，應列爲表，名宦之雍奴侯，宜入勳封固矣，王伽以下，既列職官，有政績者即注其下，應如原議，不列名宦一門。舊志有名宦而無鄉賢，尤屬不解。擬將名宦鄉賢奉有諭旨允准者，列入祠祀，由紳耆採訪明確，開單送局，毋遺毋濫。此應議者七也。選舉門之貢士，既列爵里，注明某科舉人，即不復見舉人條內，例監應刪，貢生掾階，應如何酌列，亦須先定義例。流寓應刪，仙釋尤爲不經。人物斷自國朝，子目悉仿靈壽之例。此應議者八也。章奏條議之出自邑人，言關經濟者，應入藝文，如總督朱、星使王圈地兩疏，必早列通志，亦可割愛。邑志統於縣令，令無上疏言事之責，似可刪章奏一門。藝文碑記，各碑舊志均無建立年月，存者宜考訂補入，逸者宜附考闕疑，詩之無關民生利弊者悉從刪節。此應議者九也。邑志創於明萬曆年知縣陶公允光，與邑紳許公鋌、梁公津，而梁公名不見於人物。一修於國朝康熙癸丑年，知縣鄧公（欽楨）與教諭李公衷（綍）、邑紳李公、耿公，李公爲煒之父（可楨），而耿公莫詳其名。職官鄧公條下亦不載修志事。再修於康熙辛巳年，知縣章公（曾印）與邑紳李公煒輯成之，王公（元璘）以賦役驛傳未載，復與（煒）弟（焯）田公（士章）續之，而王公之名僅列於例監，擬囑採訪諸君於藏書家購覓三志原刊本送局，以資參訂。此應議者十也。

均非無見。惟答議以奏議文詩入藝文，仍不免近志之習。且誤削舊志，往往而有，如吴志載隋雍奴令王伽是也，乃以雍奴爲雍而削之，此其尤誤者。

丁符九：密雲志六卷

存 鈔本

密雲自康熙五十七年後，志乘失修已久。同治十年，蓬萊黄宗敬知縣事，延番禺張庶常鼎華續修成輿地諸圖，邑人張仲基臨淵涉巘，不憚往復，歸而手摹口授，典史李振樞因而圖之，鼎華据今證古，實事求是，至爲詳贍。光緒二年，永甯趙文粹復延會稽孫孝廉德祖排比鱗次爲三十卷，子目咸備，采訪尚稽。六年，復延安岳周大令林成之，爲三紀、二圖。圖説四，有説無圖者六，表三，考三，政略一，詩文一。卷六，子卷三十有一，體例謹嚴，考證淹雅，順天近志以此志及永清志爲最。林自序云：今之方志條例，其弊蓋有四焉，取法於元、明一統志，濫觴於太平寰宇記、方輿勝覽，以人物諸目與山川故蹟相次，是地理耑書，略具類纂之意，其流連景物，附會名勝者，又不足言矣。其失也陋。列傳之有題目，事重於人，如史漢儒林、循吏，初不爲龔、黄諸人設也，人類不同，奚翅倍蓰！今乃必欲强爲分析，官曰慈祥豈弟，士曰孝友端方，學皆鴻儒，縱有般輸技略，斥爲小道而不書，女皆貞婦，雖有威姑德邁，以其偕老則不列。去取之故，輒不可得。至於職官，詳臚事實，選舉並著躬行，而名宦人物，僅占虚篇，猶其小焉者爾，其失也拘。是非褒貶，其事既明，其行自見。經生家動陳大義，墨守義法，作爲文章，其事不合，便自荑芟，以是爲能擅筆削之權，寓春秋之意，或者義取簡絜，至欲昉武功縣志，而稱謂直書古人官名、地名，致使今古莫别，方自以爲博雅，其失也妄。藝文之名，劉略、班志臚列書目，後世書目解題諸書所自昉也。近代分裂篇章，狀志碑銘，録其原文，複增子注，此云詳見名宦儒林，彼云載在藝文某篇，而詩詞歌謡，濫採兼收，至爲取媚當時之捷徑，其失也濫。所言甚中近時修志之習。

宋文：昌平州志八卷

存 鈔本

光緒辛巳，知州宋文、邑人劉御史治平續修，成十二卷，自康熙十二年後至今未修，缺失頗甚，而關隘詳載里數，藝文止列目録，皆體例之善者。

華陽吴祖椿校